Dood op de rots

Anne Doedens

Dood op de rots

Het onderzoek naar een sterfgeval teveel in een door pest getroffen Italiaanse stad in de veertiende eeuw

Uitgeverij Aspekt

Dood op de rots
© Anne Doedens
2011 Uitgeverij ASPEKt
Amersfoortsestraat 27, 3769 AD Soesterberg, Nederland
info@uitgeverijaspekt.nl – www.uitgeverijaspekt.nl
Omslagontwerp: Aspekt Graphics
Binnenwerk: Paul Timmerman
Druk: HooibergHaasbeek, Meppel
ISBN-13: 978-94-6153-083-7
NUR: 301

Inhoud

Vooraf

De historische werkelijkheid van het stedelijk leven in het midden van Italië in de veertiende eeuw is als achtergrond van dit verhaal in alle getrouwheid gereconstrueerd. De genoemde personen hebben echt bestaan in de functies waarin zij worden opgevoerd. De *'kroniek'* aan het eind van boek is geschreven in de stijl van bekende documenten uit dezelfde tijd. Het verhaal zelf en de concrete handelingen daarin van personen sproten echter voort uit de fantasie van de schrijver.

Dodendans (Danse macabre, Guyot Marchant, Parijs 1485)

“Het ene geslacht gaat en het andere geslacht komt, maar de aarde blijft altoos staan. De zon komt op en de zon gaat onder en hijgend ijlt zij naar de plaats waar zij opkomt. De wind gaat naar het Zuiden en draait naar het Noorden, aldoor draaiend gaat hij voort en op zijn kringloop keert de wind weer terug.”

Prediker 1: 5-7

De verdoemden op de deur van de dom van Orvieto.

“Wat geweest is, dat zal er zijn, en wat gedaan is, dat zal gedaan worden; er is niets nieuws onder de zon. Is er iets waarvan men zegt: ziehier, dat is nieuw – het was er al in verre tijden, die voor ons waren. Er is geen heugenis van de vorige tijden, en ook van de latere, die er zullen zijn, zal er geen heugenis wezen bij hen die nog later leven zullen.”

Prediker 1: 9-11

Begin december 1347

Aankondiging

1

Aan de overzijde van de rivier de Paglia verscheen onverwacht een groep ruiters. Paolo di Giovanni verborg zich angstig in de struiken toen hij Benedetto di Bonconte herkende, uittorenend boven zijn ruige getrouwen. Bonconte met zijn minachting voor het gewone volk. Paolo drukte zich tegen de grond toen hij een daverend gelach uit de troep hoorde opstijgen. De mannen maakten zich vrolijk over hun slachtoffers: *'Wat dansten die boerenhufters van Cetona schitterend op de vlammen van het vuur, rechtstreeks naar de andere wereld'*, riep er een. Een ander vulde aan: *'En wie niet danste, reed op onze pijlen zonder meer de hel in!'*

Bonconte mengde zich niet in de vrolijkheid. Hij inspecteerde zwijgend de brug. Zijn besluit bleef niet lang uit. *'De brand erin. Men zal weten dat ik me niet zomaar de stad laat uitjagen en mijn huis in een puinhoop veranderen.'*

Enkele ruiters stegen af en verzamelden droog gras en takken om de houten brug in brand te steken.

Paolo di Giovanni begreep dat hij weg moest zien te komen. Nietsvermoedend was hij paddestoelen gaan zoeken op deze decemberdag in 1347. En nu moest hij verdwijnen voordat de mannen van Bonconte hem in de gaten kregen.

De troep van Bonconte ging op in zijn duivelse plan voor de brug. Voorzichtig kroop Paolo uit de struiken en zette het op een lopen. Opklinkende kreten maakten duidelijk dat hij was opgemerkt door de bende. Hij durfde, rennend, nauwelijks achterom te kijken.

Vlak voor de stadspoort kregen de achtervolgers hem bijna te pakken. Gelukkig gunden ze zich te weinig tijd om hun kruisbogen goed te richten en raak te schieten. Hij kon hun pijlen net ontwijken.

Hijgend bereikte Paolo de Porta Portierla. Achter hem steeg de rook onheilspellend naar de hemel. De lucht die hem vanuit de stad tegemoet golfde was al even bedorven, zij het alledaagser.

Toen hij zich veilig wist binnen de bescherming van de poort, draaide hij zich om naar een somber makend tafereel van verwoesting. De brug over de Paglia brandde als een fakkel en zou zo dadelijk vonken spugend in de rivier storten.

Benedetto di Bonconte had weer toegeslagen. De contado, het omringende platteland, droeg al de nodige littekens van zijn gewelddadige optreden. Nu scheen de stad aan de beurt te zijn. Het verraad van die ellendige vredebreker, die Ghibellijn, had Orvieto het verlies van de kleine vestingstad Cetona en de levens van honderden *contadini* gekost.

Kennelijk was Bonconte's wraakzucht nog niet uitgewoed. Hij hield ook verder naar het Noorden huis: nu was voor Orvieto ook de weg naar de graanschuren van de Chiana en naar het machtige Florence geblokkeerd. De stad raakte geïsoleerd.

Zonder het woeden van Benedetto was de toestand trouwens al slecht genoeg. Vorig jaar was de honger de stad binnengedrongen. Graan was nauwelijks meer te krijgen; andere levensmiddelen werden vrijwel onbetaalbaar. De stad had in verre streken voor veel geld voedsel moeten kopen om de ergste nood te lenigen. Lang niet alle burgers konden zich dat dure eten veroorloven. Sommige arme Orvietanen moesten met onkruid en gras hun maag vullen. De minder onfortuinlijken zeiden verwaand: *'heeft ook Nebukadnezar niet als straf Gods in zijn waanzin gras moeten eten, als de runderen?'*

Terwijl Paolo langzaam op adem kwam, bedacht hij dat van de mooie vrede die nog maar enkele jaren geleden gesloten was tussen edelen als de Bonconti's en de stad, niets meer over was. De plechtige eden van de woordbreker Benedetto, gezworen aan de Beschermer van de Stad en de Raad van de Vier Edelen, bleken even waardevol als een hoop paardevijgen. Ze stonken en de vliegen kwamen erop af.

Toen Paolo de poort was binnengegaan en de wacht had aangesproken, leek zijn kleine gestalte gegroeid in verontwaardiging. In felle bewoordingen had hij de ongeruste mannen van de *Podesta* zijn verhaal verteld. De stadsbestuurder had het slechte nieuws bezorgd aangehoord en de stadsnotabelen geïnformeerd. Het verspreidde zich daarna dan ook als een lopend vuur. Binnen enkele uren was iedere Orvietaan, van de Porta Rocca tot de Porta Maggiore, op de hoogte.

Eenmaal binnen de stevige stadsmuren ebden angst en woede bij Paolo geleidelijk weg. Hij had zijn portie gehad. Nu was het de beurt aan de volwassenen het gevaar te keren. Slenterend door de nauwe straten werd de jongen afgeleid door de gewone drukte van de stad. Marskramers prezen hun waren aan. Mannen sjouwden met zware vrachten. Uit de winkels en werkplaatsen kwamen geluiden van ambachtslieden die aan de arbeid waren. Het geratel van tientallen karren weerkaatste tegen de huizen. Geestelijken haastten zich naar een van de vele kerken of kloosters die de stad rijk was.

Zijn moeder was alleen thuis. Vader Giovanni, de stadsarts van Orvieto, bezocht patiënten; de jongere broers speelden op straat. Op de drukke Via Mercanzia was altijd wel wat te beleven.

Maria, de dochter van notaris Sergio di Tranquilo, luisterde met groeiende ergernis naar het verhaal van haar oudste zoon die in de opwinding ook nog zijn paddestoelen was kwijtgeraakt. Als dochter van een vrije burger en lid van een machtige stedelijke familie wekte het arrogante en gewelddadige gedrag van Benedetto haar woede op. Gelukkig was Paolo de dans ontsprongen.

De belevenissen van die middag hadden Paolo onrustig gemaakt. Aan het begin van de avond verliet hij opnieuw het huis en liep naar de Piazza del Commune waar de volgende dag markt zou worden gehouden. Vlak bij de kerk van San Giovanni stonden de ruïnes van het *palazzo* van Benedetto di Bonconte. De zonen van Herman Monaldeschi hadden hun werk grondig gedaan. De restanten van wat eens een solide en imposant stenen gebouw was, leken in het avonddonker nog onheilspellender dan overdag.

Paolo trok een brandende toorts uit de houder aan de muur van een huis en liep door de verwoeste poort de binnenplaats op. Een los in zijn hengsels hangende deur bewoog licht in de avondwind. De jongen liet het schijnsel van de toorts over de resten van wat eens een zaal was spelen. Toen verstarde hij van schrik.

Tegen een muur lagen zes lijken. Alsof ze onverhoeds door de dood overvallen waren. Als in een diepe roes van dronkenschap hingen ze over elkaar tegen de achtermuur van de verwoeste zaal. Jonge mannen, gewend het zwaard te hanteren en nu kennelijk zelf het slachtoffer.

Voorzichtig kwam Paolo dichterbij. Vijf doden droegen een wapenrusting die het onheil niet had kunnen weren. Ze hadden een groot aantal steekwonden opgelopen. Er was iets vreemds met de zesde dode. Hij viel op tussen zijn lotgenoten. Paolo hield de toorts boven het lijk om beter te kunnen zien. De man droeg geen wapenrusting. Zijn kleren waren vreemd, exotisch. De dood leek hem zwart getekend te hebben, levenlozer nog dan de anderen. Zijn gezicht was vlekkerig en afstotend door talloze puisten. De kleding was niet bebloed als die van de anderen; steekwonden waren niet te zien.

Het was niet de eerste keer dat Paolo lijken zag. Zijn vader had hem, als oudste van de vijf broers, als zijn ambtsopvolger bestempeld. Ondanks zijn zestien jaren was hij al vaak mee geweest naar zieken en stervenden. Ook had Paolo lijkschouwingen bijgewoond. Kennelijk was hij uit het goede hout gesneden, want zijn aanvankelijke afgrijzen maakte al snel plaats voor nuchtere belangstelling en zelfs nieuwsgierigheid.

Zo kwam het dat de jongen, ondanks het groeiend gevoel van onbehagen, haast beroepsmatig het geronnen bloed op de kin van de zesde dode registreerde. Toch werd het lugubere tafereel hem te machtig. De doorstane angsten van de middag kwamen weer boven. Zijn maag kwam in opstand. Hij verloor zijn zelfbeheersing, draaide zich om en rende het paleis uit, de straat op. Naar huis. De toorts hinderde hem in zijn bewegingen. Hij wierp hem weg en vond haast blindelings in het donker rennend de weg.

2

Giovanni di Teo kwam die avond moe thuis. Het was geen genoegen zieken te moeten bezoeken, die het leven niet meer dragen konden. Tijdens de hongersnood hadden veel burgers zich in de schulden gestoken om toch nog iets van het haast onbetaalbare voedsel te kunnen bemachtigen. Nu het voedselgebrek geleidelijk geweken was, drukte de last van de geldleningen des te zwaarder. De prijzen waren weliswaar billijker geworden, maar geld bleef schaars. Vele Orvietanen hadden geen dak meer boven het hoofd. Tientallen huizen waren verwoest: de gebruikelijke straf voor een faillissement.

In gedachten verzonken legde Giovanni zijn kostbare jas op een houten bank en liep naar het woongedeelte van zijn huis. Vanuit de keuken klonk gedempt rumoer. Hij zag zijn vrouw troostend gebogen staan over hun oudste zoon. De andere kinderen keken gebiologeerd toe.

Voordat hij een vraag kon stellen keek ze op en zei:

'Gelukkig dat je er bent, Giovanni. Je moet er weer op uit. Paolo heeft in het palazzo van Bonconte zes lijken gevonden. Doodgestoken. De Podesta moet direct gewaarschuwd wor-

den. Ga er alsjeblieft heen. Ik kan niet weg. Ik heb mijn handen vol. Het kind heeft vandaag meer meegemaakt dan menigeen in een heel leven.'

Het geklepper van de hoeven van Giovanni's paard weerkaatste tegen de huizen van de Via Mercanzia. Op de eerste verdieping van het Alzo Dei Commune brandde nog licht. Bij de ingang stuitte hij op een wachtpost.

'Ik moet de Podesta spreken,' sprak Di Teo bevelend.

'Dat zal moeilijk gaan,' luidde het antwoord.

Toen hij de stadsarts herkende, voegde de man er onderdaniger nu aan toe: *'graaf Guido Orsini heeft een spoedbespreking.'*

Ongevraagd ook kwam ook de nadere uitleg.

'Ser Orsini heeft de edele heren Corrado di Ermanno Monaldeschi, Monaldo di Berardo, graaf Petruccio de Montemarte en Nallo di Ugolino gevraagd hier te komen. Ze houden beraad over de laatste wandaad van Bonconte. Die brutale aanslag van vanmiddag kan niet ongestraft blijven.'

Meester Giovanni liet zich niet afschrikken door de notabele namen van belangrijke edelen. Hij reageerde nuchter.

'Dat komt goed uit. Er is nog meer dat hun directe aandacht verdient. Ga naar boven, dien me aan en zeg dat er ook binnen de stad weer gemoord wordt.'

Toen de arts de zaal binnentrad, was Corrado di Ermanno aan het woord.

'We zullen de noodtoestand moeten uitroepen en een Balia instellen. We...'

Verstoord draaide hij zich halverwege zijn zin om: wie durfde hem te onderbreken?

'Wat is er, Giovanni di Teo? Waarom kom je ons op dit late uur storen?'

De boodschap van de stadsarts was een voldoende antwoord. De gezichten stonden ernstiger nu dan bij de binnenkomst van Di Teo.

Begeleid door de rakkers van de *Podesta* arriveerde het gezelschap korte tijd later bij de ruïnes van Bonconte's stadspaleis. Orsini nam het tafereel nauwgezet op. Giovanni di Teo hurkte bij de achtermuur neer en onderzocht de slachtoffers, één voor één.

Er was geen twijfel: ze waren met korte messen of dolken afgemaakt. De wonden in de rug wezen op een verrassingsaanval, een hinderlaag.

Corrado di Ermanno Monaldeschi trad uit de schaduw naar voren, bukte zich en bekeek nauwkeurig de gezichten van de doden. Met een uitroep richtte hij zich op:

'Heilige Moeder Maria! Dit zijn mijn eigen mannen!'

'Allemaal?' vroeg Guido Orsini nuchter.

'Ja, nee... één, die zwarte daar, ken ik alleen van gezicht. Een paar weken geleden kwam hij met de anderen mee. Beweerde een van mijn helpers te kennen, hij zou geloof ik met hem op een Genuees gevaren hebben.'

Alle blikken richtten zich nu op het al verstijfde lichaam van de vreemdeling die het slachtoffer leek van een vete waar hij wellicht ongewild bij betrokken was. Giovanni di Teo bekeek hem nogmaals. Gezien zijn verweerde gezicht was hij duidelijk een buitenman. Zoals Paolo al geconstateerd had, week zijn kleding af van die van de mannen van Corrado di Ermanno. Zijn schoenen waren versleten; zijn wambuis, ooit een prachtig kledingstuk, was gescheurd en primitief hersteld. Hij kon net zo goed een *contadino* als een zeeman zijn. Nog opvallender was dat deze dode geen schram vertoonde, terwijl de andere vijf onder het bloed van vele wonden zaten. Alleen uit zijn mond was wat bloed en vocht gelopen. Zijn gezicht bleef de arts intrigeren: opvallend moe, opgezet met bulten, donker. Giovanni draaide de dode om. In het licht van de fakkels lichtte metaal op. Een mes. Op het heft waren de initialen BdB te zien: Benedetto di Bonconte.

Toen de stadsarts overeind kwam staarde hij in het vragende gezicht van Corrado di Ermanno Monaldeschi. Op de te verwachten vraag vooruitlopend zei hij:

'Hij is in ieder geval niet door dit mes doodgegaan.'

Di Ermanno nam het hem aangereikte mes aan en vroeg:

'Waaraan is die zwarte dan wel gestorven?'

'Ik weet het nog niet', zei Giovanni di Teo voorzichtig, *'ik heb beter licht nodig om het lijk goed te kunnen bekijken.'*

Orsini kwam tussenbeide.

'Deze zaak moet grondig worden uitgezocht. Zorgt u maar voor een uitgebreid rapport, dokter, speciaal over deze dode.'

De volgende dag onderzocht Giovanni het lijk van de zesde man. Het lag opgebaard in de kerk van de apostelen Filippus en Jacobus, de parochie waar de zes lichamen gevonden waren. Het vale licht in de kerk onthulde weinig meer dan de nauwelijks door toortsen verdreven duisternis van de vorige avond. Het lichaam lag op een eenvoudige houten schraag. De man was niet gewond geraakt bij het gevecht. Het bloed dat uit zijn mond was gevloeid, lag geronnen op de kin. Het wees op een aandoening van de longen. De kleren trokken Giovanni's speciale aandacht. Het wambuis vertoonde ingeweven motieven zoals de heidense navolgers van de Arabier Mohammed die toepasten: er kwamen geen afbeeldingen van levende wezens op voor. Toch had de man blond haar en was hij lang niet zo donker van huid als zijn gezicht deed vermoeden. Hij droeg Arabische kleren, maar was geen Arabier. Hij kon heel goed uit de Christenheid komen.

Er klopte iets niet, maar wat? Met een onbestemd gevoel verliet Giovanni de kerk.

Eind december 1347

Vingerwijzingen

1

Orvieto telde in de laatste weken van het jaar veel zieken. Giovanni di Teo werd nauwelijks de tijd gegund zich verder met de dood van de onbekende zesde man bezig te houden. De gezondheid van de bevolking had erg geleden onder de voedselschaarste. Bovendien leidden de hernieuwde vijandelijkheden tot een toenemend aantal geweldplegingen in de stad. Di Teo had handenvol werk aan het behandelen van de slachtoffers. De 25 goudguldens die hij van de stad ontving, waren zeker dit jaar bij lange na niet voldoende om de staat te voeren waar hij zo aan hechtte. De bezoeken aan welvarende Orvietanen zorgden echter voor ruime compensatie. Toch was het geen echte vetpot in het gezin Di Teo. Vijf kinderen grootbrengen betekende een zware last voor de stadsarts. Bovendien zou Paolo volgend jaar in Perugia zijn studie in de medicijnen voortzetten. Gentile da Foligno, een respectabel en geleerd arts verbonden aan de universiteit van Bologna, had zich bereid verklaard de zoon van de Orvietaanse arts onder zijn kundige hoede te nemen. Foligno was echter een dure docent. Om hem te kunnen betalen moest Giovanni meer patiënten behandelen dan hem eigenlijk lief was.

Soms voelde Giovanni enige wroeging over zijn zucht naar geld. Hij vroeg zich dan bezorgd af, of hij zich misschien schuldig maakte aan Hebzucht en Inhaligheid: hoofdzonden, zoals hij heel goed wist. Uit bezorgdheid voor zijn zielenheil bezocht hij daarom af en toe het grote stadshospitaal waar de armen verpleegd werden. Deze diensten verrichtte hij gratis.

Op de dag voor kerstmis werd de arts bij een rijke drapenier geroepen, die aan de Via Solania woonde, vlak bij het pauselijk paleis. De man had last van jicht. Giovanni was snel klaar en gunde zich de tijd om de kathedraal in te lopen.

Iedere keer weer raakte hij onder de indruk van de grote talenten van de meesters Andrea Pisano en Giovanni Pini. Die waren een schitterende mozaïekvloer aan het leggen. Pini vertelde graag over zijn werk. Pisano kwam naast de druk gesticulerende Pini staan. Hij was al een oude man, zonder tanden, met een ingevallen gezicht. Maar uit het bejaarde lichaam van deze meesterbeeldhouwer – goudsmid en – architect straalde nog kracht. Men was heel trots geweest in Orvieto toen Pini, een van de grote beeldhouwers van de Dom van Florence, naar het zuiden gekomen was.

Bij het verlaten van de kathedraal liep Di Teo langs de steigers bij de voorgevel. Hamers klopten en zorgden voor een levendig gedruis. De beeldhouwers maakten platte grappen en leverden ongezouten commentaar op voorbijgangers. Dat stond het harde werk aan de reliëfs niet in de weg. De contouren van het Laatste Oordeel met de realistische verbeelding van de Opstanding van de Doden werden steeds duidelijker zichtbaar. Toen Giovanni er naar keek, kwam het tafereel van de zes doden weer boven. Nog maar twee weken geleden. Als vanzelf werden zijn gedachten naar het raadsel van het geheimzinnige zesde lijk geleid.

Hij wendde zijn blik van de weinig opbeurende voorstellingen af en bekeek het plein voor de kathedraal. Het was nog vroeg, een mooie gelegenheid het hospitaal van Santa-Maria della Stella te bezoeken, een oord van ziekte en armoe.

2

De stad betaalde aan de broeders van het klooster van Sint Jacob van Altopascio honderd ponden per jaar om hun liefdadig werk in het hospitaal te verrichten. Ze stonden onder de bijzondere bescherming van de *Podesta* en de *Capitano del Populo*, naast de *Podesta* een van de machtigste stadsbestuurders.

De broeders en vooral de prior van het klooster waren zich heel goed bewust van hun gunstige positie in de stad en lieten dat duidelijk merken. Hun zelfbewustheid tastte echter niet hun waarnemingsvermogen aan. Zij wisten dat de belangstelling van de stadsarts voor de patiënten in hun gasthuis voor een niet onbelangrijk deel geveinsd was. Toch konden ze zijn bezoeken wel waarderen, al spotten ze onder elkaar met die 'zoethoudertjes voor het geweten'.

Samen met de prior, frater Petrus, deed Giovanni zijn ronde door het hospitaal. Toen hij aanstalten leek te maken het gebouw te verlaten, nodigde de prior hem uit een glas wijn te blijven drinken. Hoewel Giovanni zich bij de monnik niet zo op zijn gemak voelde, kon hij moeilijk weigeren. Het was onverstandig de prior onnodig tegen zich in te nemen.

Petrus vulde twee bekers met jonge Orvietaanse wijn en praatte aanvankelijk over alledaagse dingen. Spoedig werd duidelijk dat hij Giovanni niet zo maar op zijn kamer had ontvangen. Hij was geïnteresseerd in nieuwtjes. Zijn belangstelling ging vooral uit naar de plannen van het stadsbestuur, voor een belangrijk deel zijn broodheer.

'Ik heb bij geruchte vernomen dat de vier edelen van plan zijn een Balia te vormen, een noodbestuur met speciale bevoegdheden. U als stadsarts weet daar ongetwijfeld meer van.'

Giovanni ontweek een rechtstreeks antwoord.

'Ik weet het niet zeker, ik heb er ook over gehoord, maar er gaan zoveel geruchten. Wel heb ik uit betrouwbare bron vernomen dat men op het feest van de geboorte van Onze Heer duidelijkheid zal geven. Meer weet ik niet.'

Giovanni probeerde het gesprek een andere kant op te sturen.

'De Podesta en de Capitano del Populo hebben nog nauwelijks gelegenheid gehad de burgers te informeren, ze hebben

wel wat anders aan hun hoofd. Het zijn immers sombere tijden. Er is geen enkel respect meer voor het menselijk leven. Ook niet bij het feest van de geboorte van de Heer.'

Giovanni keek de prior al pratend onderzoekend aan. Broeder Petrus maakte een weids gebaar.

'We maken inderdaad afschuwelijke dingen mee. Het is vreselijk dat men de huizen van Corrado en andere zonen van Ermanno Monaldeschi in de contado verbrandt. Die aanhangers van Benedetto deinzen echt nergens voor terug, zelfs niet nu hun aanvoerder verbannen is. Zelfs de stad is niet veilig meer. De wijk van de Porta Maggiore is niet meer om aan te zien. Het gerucht loopt, dat het stenen gelaat van paus Bonifatius VIII op die poort tranen gelekt heeft. Bonconte volgt een trieste traditie: de gewoonte van vroegere stadstirannen om met moord, doodslag en brandstichting de Angst te laten regeren. Het is alsof hij een Pact met de Duivel heeft gesloten. Ik denk dat de vreemdeling die tussen de doden in Bonconte's palazzo werd aangetroffen, ook door de Satan bezeten was.'

Giovanni viel uit zijn rol van beleefde bezoeker en veerde op.

'Kende u die dode vreemdeling dan? Had hij iets met Bonconte te maken?'

'Jazeker kende ik hem', zei de monnik, een beetje verbaasd over Giovanni's oprechte belangstelling. Na een korte aarzeling vervolgde hij:

'Toen hij een aantal maanden geleden bij ons kwam, noemde hij zich Gods Gezant. U herinnert zich ongetwijfeld hoe in juli de losbandigheid in de stad om zich heen greep. De mensen waren zo verheugd over het verdwijnen van de honger, dat ze haast buiten zinnen raakten. Het stadsbestuur was bang voor opstootjes en verbood toen zelfs luxe begrafenissen. U zult het ongetwijfeld nog weten. Juist in die tijd brachten de mannen van Corrado de vreemdeling naar ons toe. Ze hadden hem even buiten de poort bewusteloos aangetroffen. Hij was volkomen uitgeput en zag asgrauw. De vreemdeling kwam van ver; dat was goed te zien aan zijn kleding. Bij bewustzijn gekomen fluisterde hij, dat hij een vriend van een van Corrado's soldaten was. Deze bevond zich echter in de contado om tegen Bonconte en zijn barbaren te vechten en kon zijn identiteit dus niet bevestigen. Voor hij opnieuw buiten kennis raakte vingen we nog op dat hij zei: "Kijk uit, de Duivel die jullie stad al eerder bezocht heeft, is weer onderweg, zoekende wie te verslinden! Ik ben hem vanuit het land van de Tataren en Turken als een

Gezant van God vooruit geijld om jullie te waarschuwen. Hij brengt dood en verderf.'"

De prior pauzeerde even, nam een slok wijn en vervolgde:

'Hij lag weken ijlend in het hospitaal. In zijn dromen sprak hij over vreselijke dingen. Hij had het over aanvallen van demonen op zijn stad, over gruwelijk verminkte lijken die over de muren geschoten werden en over een afgrijselijke pestwalm die uit die lijken kroop en zich in de stad verspreidde. Het ergste was dat hij in zijn koortsdromen God wel duizendmaal vervloekte. Hij was geen dienaar van God, maar van Satan, die ons in ons eigen hospitaal kwam belasteren. Toen hij eenmaal aan de beterende hand was, werd hij erg gesloten en weigerde iets over zichzelf los te laten. In oktober vertrok hij zonder een woord van dank. God heeft de beledigingen ons aangedaan echter gewroken. Hij heeft zijn gerechte straf ondergaan.'

Met deze conclusie beëindigde de prior zijn verhaal. Giovanni had intensief geluisterd. Na een korte stilte vroeg hij:

'Waarom hebt u mij destijds niet bij die patiënt geroepen?'

Om de lippen van de prior speelde een glimlach.

'Ach, wij wilden u niet onnodig lastig vallen; wij dachten dat u niet veel meer kon doen dan wij. Bovendien was hij straat-arm, hij kon geen penning betalen.'

Giovanni incasseerde uiterlijk onbewogen de sarcastische opmerking van de prior. Zijn nieuwsgierigheid was nog niet helemaal bevredigd.

'Hebt u misschien gezien of gehoord waar hij na het vertrek uit uw hospitaal naar toe is gegaan?'

'Ik hoorde bij geruchte, dat hij bij een partijganger van Corrado di Ermanno was ingetrokken, een vriend van zijn vriend. Daarna heb ik niets meer over hem gehoord, tot hij een paar weken geleden door uw zoon levenloos werd aan-getroffen.'

Veel meer kon de prior hem niet meer vertellen. Giovanni nam afscheid en vertrok weinig gerust uit het Santa-Maria-hospitaal.

3

De zonen van Ermanno Monaldeschi, de aartsvijanden van Bonconte, droegen er zorg voor dat de inwoners van Orvieto in 1347 een sobere kerst vierden. Het feest van de geboorte van de Heer werd van alle opsmuk en luxe ontdaan. Vrouwen mochten zich niet al te uitbundig opschikken, uiterlijk vertoon was verboden. De festiviteiten moesten ingetogen zijn, in overeenstemming met de ernst van de tijden. Het leek wel of er een Hervorming van de Zeden werd voorbereid. De stad was de afgelopen maanden uit het lood geslagen, daarom moesten de teugels strakker worden aangehaald. Eenvoud en rechtschapenheid waren deugden die de meeste Orvietanen vergeten hadden. Om de dreigingen het hoofd te kunnen bieden moest er weer orde en soberheid in de stad komen.

Direct na het kerstfeest trad het noodbestuur aan. Voor een periode van drie maanden werd een vrijwel absolute macht in handen gelegd van Guido Orsini, Petruccio de Montemarte, Nallo di Ugolino, Monaldo di Berardo Monaldeschi en Corrado di Ermanno Monaldeschi. Deze edelen stelden zich tot taak Orvieto weer op het rechte pad te brengen en de veiligheid van de stad te verzekeren. De raad van gildenmeesters bleef bestaan, hoewel de macht van dit orgaan flink werd gekortwiekt.

Giovanni di Teo maakte twee dagen na de installatie van de *Balia* zijn opwachting in het *Palazzo dei Commune* om de nieuwe machthebbers geluk te wensen. Nadat hij Guido Orsini zijn complimenten had overgebracht, zei deze bot:

'Waar blijft uw definitieve verslag van de doden in het palazzo van Bonconte?'

Giovanni was even uit het lood geslagen, maar antwoordde uiterlijk onbewogen.

'Er is hard aan gewerkt, Ser Guido. Ik heb echter hulp nodig, alleen kom ik er niet uit. U weet dat vijf van de zes slachtoffers in een gevecht stierven, of liever: laf hartig vermoord werden. De zesde dode komt van ver. Broeder Petrus van het hospitaal van Santa-Maria della Stella wist me het een en ander over hem te vertellen. Hij zei onder meer dat die vreemdeling relaties had met de mannen van heer Ermanno di Corrado Monaldeschi.'

Bij die laatste woorden gleed zijn blik in de richting van Ermanno die het onderhoud op enige afstand gadesloeg.

Guido Orsini had Di Teo's blik gevolgd en wendde zich tot zijn medebestuurder.

'Weet U er misschien meer van?'

De zwaargebouwde, wat oudere man kwam dichterbij; hij antwoordde lichtgeraakt en snauwerig.

'Is het woord van onze familie niet goed genoeg? Corrado heeft alles verteld wat bij ons bekend is: dat die kerel met een van mijn mannen omging en op Genuese schepen gevaren had. Hij interesseert me alleen voor zover hij iets te maken mocht hebben met de dood van mijn mannen.'

Guido Orsini liet zich door Monaldeschi's grofheid niet uit het veld slaan en zei, in een opwelling van welwillendheid tegenover Giovanni:

'Di Teo heeft alle informatie nodig die hij krijgen kan. Wie weet hoe belangrijk die man voor de stad kan zijn, zelfs nu hij dood is. Welke soldaat bracht hem in uw huis?'

Even bleef het stil. Met zichtbare tegenzin antwoordde Ermanno:

'Dat was Piero, de zoon van Di Teo's collega Nicolo da Orte. Dat is me bijgebleven, omdat hij maar bleef aandringen die man toe te laten. Ik wil geen onbekenden aan mijn tafel. Uiteindelijk gaf ik hem echter zijn zin, want aan Piero's houding was te merken dat hij mijn dienst wel eens kon verlaten als zijn vriend niet welkom was. Ik voelde er niets voor om voor zoiets onnozels een goede soldaat kwijt te raken.'

4

De laatste dagen van het jaar 1347 en de eerste van het nieuwe jaar brachten weliswaar meer informatie, maar nog geen duidelijkheid. Op 30 december bezocht Di Teo zijn collega-geneesheer Nicolo da Orte die vlak bij de Porta Romana woonde. Giovanni stuurde ongemerkt het gesprek in de richting van Nicolo's zoon. Da Orte vertelde Giovanni dat Piero al vroeg partij gekozen had voor Corrado di Ermanno Monaldeschi. Over de haat van de Monaldeschi's tegen Bonconte bestond geen twijfel; Corrado had echter metterdaad de tiran weerstand geboden. Het *palazzo* van Benedetto bevond zich op nog geen honderd meter van het huis van de Da Orte's. Bonconte terroriseerde de hele buurt.

'Is Piero niet thuis?' vroeg Giovanni. Even kwam er een zorgelijke uitdrukking op Nicolo's gezicht.

'Sinds begin december heb ik hem niet meer gezien. Hij is vermoedelijk met de troep van Corrado de contado ingetrokken. Overigens kan Piero goed voor zichzelf zorgen. Hij heeft bovendien ook nog een goede vriend bij zich.'

'Wie is die goede vriend?' vroeg Giovanni schijnbaar achteloos. Een ogenblik twijfelde Da Orte. Hij keek zijn collega onderzoekend aan.

'Dat is een lang verhaal. Je weet waarschijnlijk nog wel dat Piero vijf jaar geleden – hij was toen een jaar of zestien – van huis is weggelopen. Anderhalf jaar lang heeft hij niets van zich laten horen. Hij bleek met een Genuees schip naar de Krim gevaren te zijn. Welnu, op die reis leerde hij zijn vriend kennen. Die man heette Cecchino. Hij kwam in oktober met Piero mee naar huis, toen deze uit de contado terugkeerde. Hij bleek een hele tijd in het Santa-Maria-hospitaal te hebben gelegen. Ik moet helaas zeggen dat zijn gezelschap geen genoegen was. Tot vervelens toe vertelde hij over de vreselijke dingen die hij bij Kaffija op de Krim had meegemaakt. Hij sprak over de pest die daar heerste, en over zijn vlucht door de landen van de Tataren en de Turken naar het gebied van de Venetianen, vermomd als Arabier. Uiteindelijk wist hij met een Venetiaans schip van Ragusa naar Ancona over te steken. Na een barre tocht bereikte hij Orvieto. In Genua was geen enkele verwant meer in leven.'

Even onderbrak Da Orte zijn verhaal. Giovanni keek hem afwachtend aan, waarop de arts vervolgde:

'Cencchino kwam ons waarschuwen voor de pest en voor de

oprukkende Tataren. Ik had erg veel moeite hem op den duur serieus te nemen. Hij zag er als een bezetene uit en sprak ook zo: indringend, met priemende ogen. Je werd er bang van. Hij had werkelijk een verschrikkelijke tijd achter de rug, maar hij bleef er maar over doorgaan. Wekenlang hoorden we alleen maar over ellende en narigheid.

We hebben hem ver van de mensen gehouden om opschudding te vermijden. Hier in Orvieto was men toen door alle rampspoed toch al vatbaar genoeg voor paniek. Gelukkig zocht hij na een paar weken zijn heil in het palazzo van Ermanno di Corrado Monaldeschi. Piero had hem daar geïntroduceerd. Dat was voor ons een hele opluchting. Begin december trokken ze de contado in, achter Bonconte aan.'

Giovanni begreep dat hij nu een onheilsbode moest zijn. Hij kon niet anders dan Nicolo de dood van Piero's metgezel Cecchino melden. Zijn collega trok tijdens Giovanni's verhaal wit weg. Had zijn eigen zoon een zelfde lot getroffen?

Het antwoord op die vraag kwam onverwacht snel: de volgende dag al. Op de laatste dag van het jaar werd vlak bij de verwoeste brug over de Paglia het lijk van Piero da Orte gevonden. Het was op de oever van de rivier aangespoeld. Nadere informatie die de *Podesta* nog uit de Monaldeschi's wist te persen, leerde dat Piero en zijn vriend Cecchino ongeveer een week of drie geleden in gezelschap van soldaten van Corrado waren gezien, acht tot tien kilometer noordelijker. Dat was in het dorp Mealla, bij een leerlooierij vlak voor de samenvloeiing van de Chiana en de Paglia. Sinds die tijd ontbrak elk spoor.

Guido Orsini ging persoonlijk in Mealla op onderzoek uit; hij stuurde Di Teo naar de vindplaats van het lijk bij de brug. Giovanni nam zijn zoon Paolo mee.

Orsini ondervroeg de bevolking van Mealla over de twee doden. De dorpelingen hadden de mannen inderdaad nog levend gezien. De mannen van Monaldeschi waren de omgeving aan het uitkammen op zoek naar de rabauwen van Bonconte. Er was niets bijzonders voorgevallen, geen ruzies of vechtpartijen.

Orsini's onderzoek bracht hem ook naar de leerlooierij. De plek was onbeschrijflijk smerig. De bewerkte huiden zorgden voor een ondraaglijke stank. Her en der lagen rottende vleesresten. Zwermen vliegen maakten een verblijf tot een beproeving. Deze uithoek bij de rivier werd door de dorpelingen alleen maar gebruikt om het vuil te storten dat ze niet in het dorp wilden achterlaten.

Orsini kon geen enkel spoor ontdekken. De laatste ogenblikken van de twee vrienden bleven in een waas van geheimzinnigheid gehuld. Piero en Cecchino leken in Mealla zomaar uit het leven verdwenen te zijn. Misschien had Di Teo meer succes bij zijn nasporingen.

Via de Porta Rocca reed Orsini de Via Mercanzia in. Giovanni haastte zich naar buiten toen een van zijn zoons de komst van de *Podesta* meldde. Orsini bleef op zijn paard zitten en keek op de arts neer.

'Wat heeft u ontdekt?' vroeg de *Podesta.*

'Piero is in ieder geval verdronken. Toen ik op de borst drukte kwam er water door de mond naar buiten. Verdrinking is in ieder geval de onmiddellijke doodsoorzaak. Maar waarschijnlijk niet de enige.'

Orsini keek verbaasd.

'Niet de enige doodsoorzaak?'

'Nee. Het lijk van Piero had enkele weken in het water gelegen en was daarom verschrikkelijk misvormd. Toch viel het op, dat het gezicht merkwaardig verkleurd was: vlekkerig en vol puisten. Ik denk dat zowel Piero als Cecchino vergiftigd zijn. Volgens mij dreef hen dat de dood in.'

Orsini knikte alleen maar. Na een korte groet reed hij weg.

Januari 1348

Ein vnerbermdliche clegliche pestilentz fieng sich an in disem. M.ccc. xlviij.
iar vnd weeret drey iar durch die gantzen werlt auß von des ob genan-
ten gewürms oder hewschrecken wegen. Erstlich in India anhebende vnnd

Uit de Neurenberger Kroniek.

Ontkenningen

1

De verhalen over het lugubere lot van Piero en Cecchino gingen als een lopend vuur door Orvieto. Met een mengeling van nieuwsgierigheid en huiver werd er geluisterd en gespeculeerd. Was dit afschuwelijke einde een vingerwijzing Gods of een straf voor buitensporige zonden?

Eer de Orvietanen tot een afgewogen oordeel konden komen haastte zich een ander, zo mogelijk nog dreigender bericht door de stad: de Christenheid was door de pest getroffen. Giovanni di Teo hoorde het op de ochtend van de eerste januari. Zijn vrouw was die morgen naar de markt geweest en had daar de onheilspellende tijding vernomen. Ze kwam buiten adem thuis en lichtte opgewonden haar man in, die op het punt stond naar de eedaflegging van de zeven gildenhoofden te gaan.

'Andrea Vanni, de stoffenkoopman, vertelde vreselijke verhalen. Hij had acht dagen geleden in Orbetello een man uit Genua ontmoet. De mensen daar spugen bloed, krijgen bulten in de lies en onder de oksels, ze hebben vreselijke koortsen overlijden na enkele dagen. Hij zei dat de Genuezen als gras op het veld worden weggemaaid.'

De woorden van Maria klonken nog in Di Teo's hoofd na toen hij naar het *Palazzo Communale* liep, waar de plechtigheid zou plaatsvinden. De dreigende tijding bleef hem ook tijdens de bijeenkomst bezighouden. In de grote zaal van het stadhuis werd door de gildemeesters en de belastinginners van de stad de eed afgelegd. Terwijl de stadssecretaris de formule over 'gewetensvolle ambtsbediening' voorlas, hoorde hij voortdurend Maria's stem. Het was of iets tot zijn bewustzijn wilde doordringen, maar ergens in zijn hoofd geblokkeerd werd.

Giovanni's ogen gleden over Guido Orsini, 'Beschermer en Bestuurder der Stad', zonder hem echt te zien ... Andrea Vanni vertelde ... Piero da Orte, Cecchino de Genuees, Genua, de pest ... Plotseling drong het in volle hevigheid tot hem door: ook hij had de pest gezien, op de gezichten en lichamen van Piero en Cecchino! Hij moest zich bedwingen niet op te springen.

Na afloop van de plechtigheid haastte hij zich naar Orsini. De ontdekking van Di Teo leek de graaf nauwelijks te verontrusten, hij leek eerder teleurgesteld.

'Dus deze twee mannen stierven volgens u een natuurlijke dood? Er is geen misdrijf in het spel?'

'Een misdrijf is niet helemaal uit te sluiten', antwoordde de arts, *'maar voor mij staat vast dat ze in elk geval door de pest getekend waren.'*

Met een bruuske handbeweging schoof Orsini de zaak van zich af. Als de pest inderdaad de dader was, viel er voor hem niets meer te doen. De pest kon niet voor het gerecht gedaagd en in de stadsgevangenis opgesloten worden.

'Daarmee is voor ons de zaak gesloten, Di Teo', stelde Orsini opportunistisch vast. Die conclusie viel bij de stadsarts niet in goede aarde. Hij raakte geprikkeld.

'U heeft gelijk, Ser Orsini: de pest laat zich inderdaad niet arresteren, dat is waar; maar de zaak blijft wel degelijk belangrijk. De slachtoffers zijn in hun dood tekenen Gods, een waarschuwing voor de nadering van een grote pestilentie! Ik hoorde vanmorgen dat Genua al getroffen is.'

'Genua is Orvieto niet', zei Orsini afwerend, *'Gods Gesel treft wie Hij wil. En u lijkt me niet de man om dat te kunnen voorspellen. En wat de twee doden betreft: als ze een natuurlijke dood stierven, moeten we ze met rust laten.'*

De arts was verbaasd over de houding van Guido Orsini. Toen de graaf het verbouwereerde gezicht van Giovanni zag, werd zijn toon wat milder:

'U begrijpt me wellicht verkeerd, meester Giovanni. U denkt dat ik de draagwijdte van uw waarschuwing niet wil inzien. Niets is minder waar. Het klinkt uit mijn mond misschien vreemd, maar het was in dit geval heel wat beter geweest als er wel degelijk van misdrijf sprake was. Als er echter naar aanleiding van deze sterfgevallen en de verhalen over de pest in Genua paniek uitbreekt, zonder dat we ook maar iets zeker weten, straffen we onszelf. Kooplieden en reizigers zullen de stad mijden. Dat mag niet gebeuren! U beseft toch, Di Teo, dat de stad alle inkomsten hard nodig heeft? Jaren van oorlog en misoogst hebben Orvieto aan de rand van het bankroet gebracht. En mocht het u niet opgevallen zijn, mij wel, want ik heb duizenden lira's tegen rente moeten lenen, zowel aan particulieren als aan het stadsbestuur. Daarom wil ik voor geen prijs overhaaste maatregelen afkondigen. Wat komen moet komt, maar liever niet te vroeg.'

Hij voegde er nog grimmig aan toe:

'Alleen voor vrome geestelijken geldt: leent zonder op vergoeding te hopen. Zij leven van giften, ik niet. Er zal betaald moeten worden, of de pest in aantocht is of niet.'

Voordat hij zich realiseerde dat hij tegen een ijdel en trots edelman als Orsini beter zijn mond kon houden, gooide Giovanni eruit:

'Doden betalen elkaar niet. Het zal wemelen van de doden als uw Balia niets onderneemt.'

Orsini reageerde honend.

'Wat had jij dan gedacht te doen, kwakzalver! Hoe moeten we Gods Gesel tegenhouden als Hij eenmaal vastbesloten is ons te treffen? Graag hoor ik het verlossende woord van een aanzienlijk en machtig man als Giovanni di Teo. Los onze problemen op en we zullen de fooi die je als stadsarts ontvangt zo verhogen, dat je als een rijke burger kunt leven!'

Nu was er voor Giovanni geen weg meer terug.

'Men kan ook door onbedachtzaamheid Gods Wraak over zich afroepen, heer. Ik noem het nalatigheid als ratten in de

stad vrij blijven rondlopen. Het is toch algemeen bekend dat de pest ontstaat door verstoring van de Vier Elementen. Vooral de Lucht verbreidt de ziekte; ratten zijn de dragers van zieke lucht. Ieder weldenkend mens weet dat ratten daar gedijen waar het smerig is, waar menselijke uitwerpselen en stinkend vuil liggen opgehoopt. Iedere Orvietaan is er evenzeer van op de hoogte dat het stadsbestuur voor het opruimen van de mest van mens en dier en andere vuiligheid geen geld over heeft. Ook de burgers wijzen trouwens eerder naar hun buurman dan naar zichzelf. Daarom bent u een vriend van de zwarte rat die op zijn beurt weer een vriend van de pest is. Ik heb uw geld niet nodig, gebruik het maar tegen ongedierte.'

Di Teo had met steeds meer stemverheffing gesproken. Hij leek uitgeput na zijn laatste uitval. Een aantal mensen was om het ruziënde tweetal heen komen staan. Na de laatste woorden van Giovanni viel er een afwachtende stilte. Orsini leek nog wat te willen zeggen. Hij perste echter zijn lippen op elkaar, wierp een giftige blik op de stadsarts, draaide zich driftig om en verdween uit de zaal. Ook de omstanders dropen haast beschaamd af. Giovanni bleef eenzaam in de menigte achter.

2

Na het gesprek met de stadsarts op de eerste januari werd Guido Orsini niet meer in het openbaar gezien. Er werd driftig over de afwezigheid van de *Podesta* gespeculeerd. Een week later werd hij in een bizarre houding aan de voet van de *Rocca* gevonden. Hij lag levenloos in een hoop vuil die van de rots naar beneden was gegooid. Zijn hoofd was omkranst met potscherven.

In de kroegen gonsde het van de geruchten: had een schuldenaar wraak genomen? Was het een politieke moord? Niemand twijfelde eraan dat er misdaad in het spel was. Giovanni had de twijfelachtige eer het lijk te mogen onderzoeken. Het gaf hem geen voldoening het lijkkleed te lichten van de man die hem kort geleden zo hautain zijn plaats had willen wijzen.

Het onderzoek van het lijk van Orsini zou Di Teo's laatste optreden in dienst van het stadsbestuur zijn. Op 14 januari werd Orsini als lid van de *Balia* opgevolgd door de Perugiaan Nardo Contuli. Ook de functies van *Podesta* en *Capitano del Populo* gingen op de vreemdeling over. Velen verbaasden zich over de beslissing van het stadsbestuur zoveel macht in handen van een buitenstaander te leggen.

Contuli's eerste handeling als *Podesta* was het bij zich roepen van de onheilsprofeet Giovanni di Teo.

'Hoe is de graaf aan zijn eind gekomen?' vroeg de nieuwe *Podesta. 'Bij de val van de rots zijn al zijn botten gebroken en is zijn hoofd verpletterd.'*

'Dat bedoel ik niet', zei Contuli, *'ik bedoel: was het een ongeluk?'*

Di Teo nam Contuli scherp op; hij had niet veel meer te verliezen. Natuurlijk moest een *Podesta* zich met misdrijven bezighouden, dus ook met de vraag hoe zijn voorganger om het leven was gekomen. Maar waarom interesseerde deze buitenstaander, deze vriend van de arrogante adel van Orvieto en een goede bekende van Corrado di Ermanno, zich eigenlijk zo voor de manier waarop Orsini gestorven was? Waarom werd hij direct na Contuli's aantreden al ontboden?

Na een korte aarzeling zei hij:

'Het was geen ongeluk. Orsini had een wond in de rug die niet door de val veroorzaakt kan zijn. Het lijkt erop dat hij al voor zijn val niet erg gezond was. Het mes van een onbekende was daarvoor verantwoordelijk.'

De volgende dag moest Giovanni voor de *Balia* verschijnen. Men deelde hem mee niet langer van zijn diensten gebruik te zullen maken. Corrado di Ermanno voegde er veelbetekenend aan toe:

'Het zou een stuk schelen als u voortaan in plaats van te praten uw werk deed.'

Giovanni's maatschappelijk positie veranderde nadien ingrijpend. Zijn ontslag als stadsarts was een zware slag en schaadde zijn aanzien. Bovendien namen veel burgers hem zijn waarschuwingen niet in dank af. De wijd en zijd bekend geworden inhoud van het twistgesprek tussen Di Teo en Orsini gaf overvloedig stof tot roddel en achterklap, vooral ook tot foute conclusies. Di Teo werd als een paniekzaaier, een ophitser gezien. Rijke Orvietanen riepen steeds minder zijn hulp in. Redenen werden niet gegeven. Slechts een enkeling klaagde over zijn 'gezeur'. De Di Teo's belandden in een isolement.

3

In de eerste maanden van het jaar hoorde men vrijwel geen Orvietaan openlijk over de pest praten. De inwoners van Orvieto zwegen. Ondanks de verhalen van reizigers op de markt en in de kroegen langs de Via Mercanzia. Ze hoorden in januari over de meedogenloze uitwerking van de pest op Sicilië en in Pisa, in februari over de verschrikkingen in Lucca, in maart over de slachtingen in Florence, Bologna en Modena en in april over de wandaden van de Vale Dood in Piombino, Siena en het nabijgelegen Perugia. Als medeplichtigen in een groot complot leken ze het naderende onheil te negeren. Haast neurotisch klemden ze zich aan de alledaagse dingen vast, alsof er niets belangrijkers bestond. Giovanni di Teo was met zijn waarschuwende woorden een roepende in de woestijn.

Het enige dat de oplettende toeschouwer opviel, was dat de zeven gildenmeesters in januari niet minder dan 650 ponden aan kerken, kloosters en hospitalen schonken. Een ongehoord hoog bedrag. Hoopte men zo de wraak van de Almachtige af te kopen? Ondanks het grote geldtekort waar Orsini over gesproken had, was er blijkbaar voldoende kapitaal voor deze schenking beschikbaar. Niet iedereen was het kennelijk met Orsini eens; bang probeerde men in zijn verblinding een mogelijke Schuld aan de Schepper met geld te delgen. Een gouden kalf om de put te dempen.

* * *

Op de avond van de 27ste januari was het vol in de kroegen en wijnhuizen aan de Via Mercanzia. Eén van deze huizen van vermaak was een geliefkoosde ontmoetingsplek van Perugianen. Daar hoorden ze van stadgenoten de laatste nieuwtjes en konden er hun verhalen kwijt aan een bereidwillig gehoor.

De waard van het wijnhuis had last van jicht. Hij werd al jaren door Giovanni behandeld. Vooral in de winter waren zijn rug en benen erg pijnlijk.

Paolo di Giovanni bracht die avond in opdracht van zijn vader medicijnen. Het was druk in het wijnhuis; veel luidruchtige, dorstige klanten wilden snel bediend worden. Op een kille januari-avond zorgde Orvietaanse wijn voor een weldadige warmte. Paolo wachtte in een hoekje geduldig op zijn geld. Naast hem zaten twee mannen uit Perugia, die nog maar kort in Orvieto woonden. Ze waren druk in gesprek. Paolo ving enkele flarden van zinnen op. Door het geroezemoes kon hij niet alles verstaan.

'Het ziet er goed uit voor ons en onze stadgenoten,' ... 'Nardo Contuli heeft de enige Orvietaanse getuige van de geheime overeenkomst het zwijgen weten op te leggen.' ... 'In Perugia wordt ondanks de pest alleen nog maar nagedacht over de hoogte van de rente op de lening aan Orvieto.'

Die woorden intrigeerden Paolo. Thuisgekomen praatte hij er met zijn vader over. Giovanni schonk aanvankelijk nauwelijks aandacht aan het relaas van zijn zoon. Hij was aangeslagen door de gebeurtenissen van de laatste twee weken en kon zijn geest maar moeilijk op andere dingen concentreren. Toen Paolo echter doorvroeg, keerde hij weer terug naar de werkelijkheid van alledag. De betekenis van het gesprek in de kroeg drong toen snel tot hem door. Veel dingen vielen op zijn plaats. Contuli had Orsini laten vermoorden om een complot tegen Orvieto geheim te houden. De Perugianen wilden door middel van leningen Orvieto van zich afhankelijk maken. Giovanni dacht met groeiende boosheid aan zijn gesprek met Contuli, nog geen twee weken geleden. Het nieuwe lid van de *Balia* had hem getest. Toen hij merkte dat Di Teo na enige aandrang zijn mond over de moord had durven opendoen, had hij hem tot zwijgen willen brengen door hem als stadsarts te ontslaan. Een laatste niet mis te verstane waarschuwing. Giovanni voelde zich medeplichtig, omdat hij sindsdien inderdaad gezwegen had. Maar wat kon hij doen? Zijn geloof in de naderende pest had hem bij veel mensen onmogelijk gemaakt. Nu zijn gelijk proberen te krijgen betekende de ondertekening van zijn eigen doodvonnis. De leidende elites van Orvieto verwelkomden het Perugiaanse geld en hadden geen enkele behoefte aan een spelbreker die de ware toedracht aan het licht kon brengen. Giovanni's rol was uitgespeeld.

* * *

Zo konden twee noodlottige samenzweringen onbelemmerd hun verderfelijke werk doen. Eén samenzwering met Nardo Contuli als middelpunt en in feite gericht tegen de vrijheid van Orvieto. De stedelingen keken ademloos naar dit machtsspel. De andere samenzwering werd bewust genegeerd. Bij die laatste voerde de Dood de regie en trad de Pest als hoofdrolspeler op. De eerste samenzwering eiste de aandacht en energie van het stadsbestuur zozeer op, dat het bestaan en belang van de tweede genegeerd werd. Voorlopig althans.

* * *

De zwijgzaamheid van de voormalige stadsarts betekende niet dat de dood van Orsini geen gespreksstof meer opleverde. De stad gonsde van de geruchten. Het wekte achterdocht dat er met de komst van Contuli opeens voldoende geld was om de schuldeisers te betalen. Welke rol speelde die Contuli eigenlijk? Waarom moest er een Perugiaan in het noodbestuur? Er circuleerden verhalen over financiële steun aan Monaldeschi en Montemarte, afkomstig uit Perugia. Het uitrukken van Monaldeschi-troepen ter bescherming van het noordoosten en zuidwesten van de *contado* gaf voedsel aan die geruchten. Hoe kwam men plotseling aan geld voor de soldij en die prachtige wapenrustingen?

Geld, handel, de stedelijke financiën en het stedelijk bestuur: dat waren de gespreksonderwerpen in de kroegen en drinklokalen van Orvieto in het voorjaar van 1348. Dat de pest in Florence huishield werd verdrongen. De Orvietanen hadden andere zaken aan hun hoofd.

Een van de weinigen die de afzondering van de Di Teo's in deze tijd verbraken, was Giovanni's schoonvader, notaris Sergio di Tranquilo. Deze kwam in maart vertellen dat onder leiding van zijn collega Domenico di Ventura, door het stadsbestuur gedebatteerd was over de stadskas. Tijdens die vergadering troonde Nardo Contuli in het midden; naast hem zat zijn steunpilaar Corrado di Ermanno Monaldeschi. Di Teo's conclusie was cynisch, haast onwerelds:

'De dwazen praten over de dingen van de dag, ze vergeten dat de Dood nabij is.'

Zijn schoonvader gaf geen commentaar.

Een maand later kwam hij met opwindend nieuws. De Grote Raad van de stad had zich over een aanbod van Nardo Contuli gebogen. Perugia bood aan de stad onder haar bescherming te brengen. Orvieto zou vorstelijk beloond worden. Beide steden gingen een rijke toekomst tegemoet. De vroede vaderen waren het onderling vrijwel eens geworden.

Een week later was het feest in Orvieto. Uitbundig werd de onderwerping aan Perugia gevierd. De magere tijden waren voorbij. De financiële problemen leken opgelost. Giovanni sloeg de optocht van de gilden gade. Hij begreep niet dat de mensen zo blind waren, dat ze zelfs feestvierden als hun politieke vrijheid werd opgeofferd. Orsini had de pest willen doodzwijgen om de handel en zijn eigen kapitaal te beschermen. Orsini was inmiddels dood; de stad en de handel waren van het kapitaal van Perugia afhankelijk geworden. Het ene grote kwaad was geschied. Zou het in staat zijn het andere, dat onuitsprekelijk veel erger was, buiten de deur te houden? Kon een groot kwaad met een kleiner kwaad bezworen worden?

Mei 1348

Het Grote Sterven

1

Op 1 mei 1348, twee dagen na het grote feest ter gelegenheid van de overeenkomst met Perugia, begon in Orvieto het Grote Sterven. Terwijl de dwazen nog zat waren van de viering van het verlies van hun zelfstandigheid, sloeg de pest genadeloos toe.

De mensen fluisterden dat de dood de stad was binnengerammeld in de mestkar van een arme boer uit Bagni, die zijn Orvietaanse vrouw en een vreemdeling in de gewijde aarde van de Santa Maria dei Servi kwam begraven. De vreemdeling was een koopman uit Siena, die stoffen uit Florence meebracht. Verward en koortsig had hij bij de boer aangeklopt en onderdak gevraagd. De beloning voor de gastvrijheid was de dood. De vreemdeling nam de 'hete ziekte' mee naar binnen. Vijf dagen later waren de boerin en de koopman gestorven. Het gezicht van de boerenvrouw was opgezet en vlekkerig, ze had bloed opgegeven. Met gebroken hart bracht haar echtgenoot de lijken van de moeder van zijn zeven kinderen en de onbekende koopman naar de stad. Toen hij de ontzielde lichamen aan de parochiepriester van de Santa Maria toevertrouwde, schonk hij tevens een dodelijke gift. Vier dagen later was de geestelijke gestorven. In de volgende vier maanden werd hij gevolgd door de helft van zijn stadgenoten.

Giovanni di Teo's angstige vermoedens werden bevestigd; zijn verwijten aan Guido Orsini waren terecht geweest. Waar grote aantallen ratten huisden vielen de meeste doden. De ratten waren op smerige plaatsen het talrijkst. De stad telde talloze vervuilde plekken. De stedelijke overheid had tevergeefs belastingen op vuil en afval ingesteld. Strenge verbodsbepalingen hielpen niet. Er werd trouwens veel te weinig toezicht gehouden.

De bezitters van geiten en varkens moesten officieel hoge heffingen betalen. Leerlooien binnen de stadsmuren was uit den boze. Het deponeren van vuil op straat of het naar beneden gooien van afval van de rots was strafbaar.

De rakkers van de *Podesta* hadden echter andere dingen aan hun hoofd dan op dergelijke vergrijpen te letten. Op straat werden er grappen over gemaakt. Was de *Podesta* Guido Orsini zelf niet als oud vuil naar beneden gegooid? Een grotere minachting voor de regels van God en mensen bij overheid en onderdanen was nauwelijks denkbaar.

In hun cynisme geloofden de stadsbewoners niet meer aan regels, maar aan het overheersende belang van macht; macht die op geld steunde. En dat laatste was de beste medicijn om het toezicht op de naleving van de regels te doen verslappen.

De ratten en hun parasieten, de pestvlooien, en de lucht die als een smerige deken in en over de stad hing, gaven de tien Orvietaanse geneesheren meer werk dan ze aankonden. Ook de monniken en de priesters sliepen niet meer. Ze werkten constant. Waarvoor? Genezingen waren schaars, maar ze konden de mensen toch niet laten creperen? Op sommige dagen stierven vijfhonderd mensen. Ze werden als graanhalmen door een sikkel afgemaaid. 'Zonder Gods Wil sterft nog geen mus', zegt de Schrift, maar Hij leek het nu op de hele mensheid gemunt te hebben. Een schrale troost was dat het aantal vrome schenkingen nog nooit zo groot was geweest.

De symptomen van de ziekte waren verschillend. Veel mensen kregen opgezette klieren, meestal in de lies, soms ook in de oksels en in de nek. De opgezette klieren gingen etteren en vormden builen. Het slachtoffer kreeg zeer hoge koortsen, waar niets tegen te doen was. Geen kruid of bezwering hielp. Sommigen overleefden de ziekte. De meesten gingen echter dood. Anderen kregen geen builen, maar een lichte koorts en een snelle polsslag. De ademhaling ging moeilijk. De ziekte leek hen te wurgen. Hun einde werd nog verschrikkelijker door de angsten die hen als roofdieren beslopen. Er was slechts één genade: na korte tijd kwam de bewusteloosheid; wanneer ze na twee of drie dagen van het leven scheidden was hun geest al onbereikbaar geworden. De artsen stonden machteloos.

2

De Orvietaanse bevolking reageerde merkwaardig op de aanstormende pest. Het leek wel of men de plaag evenzeer wilde negeren als de voortekenen ervan. Hoewel de paniek in hun ogen te lezen was, weigerden de gezonden de werkelijkheid te zien. Dit kon niet het einde zijn. De Christenheid was toch sterker dan een ziekte? Voor de buitenstaander leek het leven in een beangstigend zwijgen uit de stad weg te vloeien. Dat zwijgen deed aan magie denken; een stille, hopeloze dwang om de dood zonder woorden uit de stad te drijven. De dood werd tegelijk benadrukt en ontkend. Zijn boze geselslagen werden niet werkelijk aanvaard, daarvoor was het zwijgen te diep.

Het stadsbestuur deed geen enkele poging de ratten uit te roeien of de zieke stedelingen te scheiden van hen die nog niet besmet waren. De door een enkeling gedane suggestie om gezonde mensen te evacueren naar het platteland, werd bot afgewezen. Handel en ambacht zouden te veel schade lijden, werd gezegd.

Spoedig kon echter vrijwel niemand meer beslissingen nemen. De zeven hoofdlieden van de gilden stierven zo snel na elkaar, dat er nauwelijks tijd was nieuwe mensen te kiezen. Toch werd daar meer aandacht aan besteed dan aan de strijd tegen de onbegrepen ziekte.

Met verbijstering moest Di Teo constateren dat het 'gewone' leven doorging. Op 22 juni werd de Perugiaan Legerio d'Andriotti als nieuwe beschermheer van de stad ingehuldigd; ook zijn voorganger was aan de plaag bezweken. Alsof er geen pest heerste, richtte hij zijn aandacht en energie op de onderlinge verzoening van de Orvietanen. Verbannen edellieden uit de kringen van Bonconte reden weer door de stadspoorten. Ze keerden naar hun stadspaleizen terug, rijdend door stille straten, hun ondergang tegemoet.

In juli hield de dood zo drastisch huis, dat zelfs de politiek stilviel. Alleen het werk aan de dom ging door. Haast macaber klonken de steeds ijler wordende geluiden van de bouw van het Godshuis.

Nu pas begon de paniek om zich heen te grijpen. Vaders lieten hun kinderen in de steek; mannen vluchtten weg van hun vrouwen, de ene broer walgde van de andere.

Vaak stierven de zieken alleen. De medebewoners van een dode wisten vaak niet beter te doen dan het lijk naar een graf te brengen, zonder priester, eredienst of klokgelui. Steeds vaker wierp men de dode haastig in de kuil. Op tal van plaatsen werden massagraven gedolven. Iedere dag en iedere nacht stierven honderden mensen. Laag voor laag werden de doden opgestapeld, tot het graf vol was en een nieuw werd gegraven. Sommige lijken waren zo haastig onder de grond gestopt, dat de honden ze eruit trokken en ervan vraten. Er was geen tijd voor openbare rouw, tranen waren er niet meer, men waande zich al dood.

* * *

Eind juli stierf Maria, de vrouw van Giovanni. Eén voor één stierven ook haar kinderen. Toen midden augustus de plaag over haar hoogtepunt leek heen te zijn, kreeg Giovanni di Teo koorts. Hij die zoveel mensen had bijgestaan viel nu zelf aan de pest ten offer. Bij zijn haastig gedolven graf in de San Domenico zwoer Paolo, de enige overlevende van het gezin Di Teo, een dure eed om de Pest, de Dienaar van de Dood, zijn geheimen te ontfutselen. Zijn leven zou dienstbaar zijn aan de strijd tegen de gesel die de Pest was.

1350

Openbaring: kroniek

In de naam van de Heilige Drievuldigheid groet ik, Paolo di Orvieto. Ook wel Paolo di Giovanni genoemd, allen die dit lezen. Ik schrijf dit ter meerdere glorie van Hem wiens bloed wij eerbiedig in onze stad bewaren.

Dertienhonderdnegenveertig jaar na de menswording van Gods Zoon vierden de burgers van deze goede stad het feest van het Lichaam van Onze Heer. Zoals ieder weet, behaagde het God om in het jaar 1263 Onzes Heren ter overtuiging van ongelovigen, bij het graf van Sint Christina in Bolsena bloed uit de Heilige Hostie op de heilige misdoeken te laten stromen. Toen deze doeken naar Orvieto waren overgebracht, besloot de stadhouder van Petrus, de Heilige Vader Urbanus IV, in onze stad het feest van *Corpus Christi* in te stellen. De kerk en de burgers van Orvieto hebben niet lang daarna het besluit genomen deze heilige doeken een passend onderkomen te geven. Zij bouwden een nieuwe kathedraal.

Op de dag van dit feest in het jaar 1349 bevond ik mij in de genoemde nieuwe kathedraal van Orvieto. De kerk straalde rijkdom en eerbied uit. De lijnen van pilaren en vensters wezen haast biddend omhoog, naar de Eeuwigheid. Wie goed om zich heen keek, zag echter de bewijzen van de kortheid van ons stoffelijke bestaan. Een jaar eerder was Gods Hand straffend op Orvieto neergekomen. Zeer veel inwoners waren een jammerlijke dood gestorven. Van mijn vrienden leefde alleen de koopman Benedetto Mancini nog. Mijn broers, mijn moeder Maria en mijn vader Giovanni, geneesheer in deze stad, waren overleden. De gelovige massa in de kathedraal telde vele open plekken. Ik voelde mij eenzaam. Onwillekeurig schoot mij het kruiswoord van de Heer te binnen: *'Mijn God, Mijn God, waarom hebt Gij Mij verlaten?'*

Na afloop van de plechtige mis sprak ik met Andrea Sciutti, de hoofdman van het gilde van de rechters en notarissen, die klaagde over de zwaarte van het werk, nu op vier na al zijn gildeleden in het rampzalige jaar 1348 aan de pest waren overleden. In dit gesprek mengden zich mijn gildebroeder, de arts Matteo fu Angelo en Stefano, de kleinzoon van de belastingontvanger Stefucius di Vanno di Grasso. Ook zij leden onder de gevolgen van de pest. Als goede christenen probeerden we de bedoeling van God te doorgronden, die onze stad en zijn *contado* zo zwaar had gestraft.

Op 15 augustus, de nieuwe feestdag ter ere van de Hemelvaart van de Moeder Gods, troffen we elkaar bij Ugolino di Tranquilo. We besloten een nauwkeurig onderzoek in te stellen naar de oorzaken en geschiedenis van de pest. We zouden daartoe op reis gaan en boodschappers uitsturen, die inlichtingen moesten verzamelen. Verder spraken we af elkaar onze herinneringen aan dat vreeswekkende jaar te vertellen om na te gaan welke lering erin school.

Stefano di Vanne di Grasso zou naar Sicilië reizen. Daar woonde verre familie die afstamde van de Noormannen. Er wordt gezegd dat op dat eiland de plaag voor het eerst aan land kwam.

Ugolino di Tranquilo zou een reis ondernemen naar Genua, Venetië, Piacenza, Pistoia, Florence en Siena om in die steden de gang van de ziekte te onderzoeken. Zijn handelshuis had er goede contacten.

Matteo fu Angelo en ik zouden als artsen onze ervaringen ten dienste van deze onderneming stellen. Op de dag van het feest van Maria Hemelvaart brachten we extra kaarsen naar de domkerk, naast de vele die er al door de gilden waren neergezet, om een zegen over onze plannen af te smeken. We spraken af elkaar precies over een jaar, op ditzelfde feest, weer te ontmoeten ten huize van Benedetto Mancini. In deze kroniek geef ik verslag van hun bevindingen, ter meerdere Glorie van God en tot lering van Zijn Volk.

Een jaar later troffen we elkaar weer in goede gezondheid op het feest van Maria Hemelvaart. Mijn vriend Stefano di Vanne di Grasso had met Gods Genade zijn reis naar Messina gemaakt en was veilig teruggekomen.

Hij vestigde onze aandacht op de waarschuwingen die God al lang als tekens aan de wand had gegeven. Om met eigen ogen het verval van de Heilige Stad onder de opstandeling Cola di Rienzo te zien, was hij eerst naar Rome getrokken. Zoals bekend was de onenigheid in Rome zo hoog opgelopen, dat de Heilige Vader de wijk had moeten nemen naar Avignon. De stad van Petrus was beroofd van zijn opvolger. Wanneer kwam er een einde aan die hemeltergende misstand? In Rome wilde Stefano van nabij de trap van de Ara Coeli-kerk zien, die de Romeinen met een strop om de nek en as op het hoofd beklommen om de bijstand van de Maagd Maria tegen de pest af te smeken.

Een speciale reden om naar de stad van Petrus en Paulus te gaan was dat de Heilige Vader Clemens VI het jaar 1350 tot jubeljaar had uitgeroepen. Toen Stefano aan het begin van het jaar Rome binnenkwam, was hij in gezelschap van vele duizenden pelgrims die opgejaagd door de pest in Rome aflaten voor hun zonden kwamen kopen.

In Rome hoorde hij het eerste verhaal over de pest uit de mond van de priester Matteo uit Avignon. De Heilige Vader had zich daar in zijn ballingschap persoonlijk verdiept in de wijze waarop God de mensheid had geslagen. Matteo vertelde Stefano, dat het grote sterven in de gebieden der heidenen begonnen was: in Tatarije, Indië, Perzenland, Egypte, Mesopotamië en Klein-Azië. Het aantal slachtoffers was ontelbaar.

God had de heidenen geslagen, zoals hij eertijds de Egyptenaren met de tien plagen had bezocht. Matteo vertelde tijdens zijn reis naar Rome gesproken te hebben met een eerbiedwaardige Florentijnse minderbroeder die in 1346 in het land en in de stad van Lamech was geweest. Door het geweld van een aardbeving werd een deel van de tempel van Mohammed tot een puinhoop gemaakt. Daarna hield de pest er vreselijk huis.

Ook ontmoette de eerbiedwaardige broeder in Piacenza een notaris die een verhaal vertelde over de Tataren. Terwijl de heidenen de stad Feodosiya op het schiereiland de Krim belegerden, werden ze plotseling door de pest getroffen, zoals Sanherib toen hij met zijn troepen voor Jeruzalem lag. De christelijke inwoners van de stad werden het slachtoffer van de boosaardigheid van de Tataarse aanvoerder Kipchak Khan Janibeg. Deze liet lijken met pestbuilen over de stadsmuren schieten. Spoedig werd de lucht bezoedeld en waren de waterbronnen vergiftigd. De pest joeg zo snel door de stad, dat slechts weinig inwoners de kracht hadden te vluchten. Zij die uit Feodosiya via Constantinopel in Genua aankwamen, droegen het kwaad bij zich en besmetten zo een ander deel van de Christenheid.

Vanuit Rome volgde onze vriend Stefano in omgekeerde richting het verwoestend spoor van de pest. Overal zag hij de tekenen van Gods toorn. Sommige steden en grote delen van het platteland waren van hun inwoners beroofd. Toen Stefano na een lange reis op het eiland Sicilië aankwam en de straten van Messina betrad, weigerde men hem iets over de ramp te vertellen, die de stad in 1348 getroffen had. Een monnik verwees hem naar Piazza waar een vrome Franciscaner woonde, die een kroniek van de gebeurtenissen had bijgehouden. Deze las hem een aantal passages uit zijn kroniek voor:

'De dingen die onthouden moeten worden, gaan in de loop van de tijd teniet en verdwijnen uit de herinneringen van latere geslachten. Omdat ik zag dat de hele wereld in de greep van het Kwaad kwam, heb ik de dood afgewacht en in de tussentijd datgene geboekstaafd dat mij ter ore kwam. Het geschiedde in de maand oktober van het jaar Onzes Heren 1347, dat Messina de grootste straf sinds de zondvloed onderging. Op een kwade dag liepen twaalf Genuese schepen de haven binnen, vluchtend voor de Goddelijke wraak over hun zonden. De opvarenden brachten een ziekte mee, die als het ware in hun botten zat. Als iemand met hen sprak, werd hij direct door die dodelijke ziekte getroffen; ontsnappen was onmogelijk. Sommigen stierven al na een uur, anderen deden er twee of drie dagen over. In het laatste geval trad er hevige

koorts op, waarbij de lijder van zijn spraakvermogen beroofd werd. Anderen werden ziek in de longen. Na de besmetting gaven de slachtoffers bloed op. De tong werd zwart, er koekte bloed aan. De lijders kregen hevige dorst die onlesbaar was. Sommigen werden rusteloos en konden niet slapen. In veel gevallen werden pestvlekken over het hele lichaam zichtbaar. Alle getroffenen kregen last van een diepe depressie. Bij het zien van de eerste pesttekenen maakte zich wanhoop van de bevolking meester; de slachtoffers werden daardoor nog kwetsbaarder. Het stervensproces werd er door verhaast.

Toen de bewoners van Messina in de gaten kregen wat een ravage deze plotselinge Dood aanrichtte, dreven ze de schepelingen de stad uit. Maar de ziekte bleef; het sterven was ontzagwekkend. Iedereen was slechts door één gedachte bezeten: hoe kon besmetting voorkomen worden? Vaders lieten hun zieke zoons in de steek; notarissen weigerden testamenten te komen opstellen voor de stervenden; priesters waren zelfs niet te bewegen de biecht te horen.

De zorg voor de getroffenen viel ons, Franciscaner minderbroeders, toe en verder aan de Dominicanen en de leden van andere ordes. Daardoor werden ook de kloosters in korte tijd van hun bewoners beroofd. Lijken bleven achter in lege huizen, er was niemand om hen een christelijke begrafenis te geven. De huizen van de doden waren onbewaakt. Geen huis-

eigenaar belette de diefstal van juwelen, geld en andere voorwerpen van waarde. De pestilentie kwam zo snel, dat men geen maatregelen had kunnen nemen. Velen vluchtten de stad uit en zochten een goed heenkomen op het platteland.'

De eerbiedwaardige broeder Michael vertelde daarna een verhaal waaruit de toorn van God over het verdorven mensengeslacht nog duidelijker wordt.

'Die van Messina haalden de aartsbisschop van Catania over om de relieken van de Heilige Anna naar Messina te brengen. De bewoners van Catania bleken slechte lieden te zijn. Uit angst voor de pest wilden ze niemand uit Messina ontvangen. Desondanks werden zij toch door de ziekte getroffen. De vierde engel uit Openbaringen ging hen niet voorbij.

De aartsbisschop liet zich niet van zijn christelijke plicht afhouden en doopte de relieken van de heilige maagd Sint Agatha in water. Met dit heilige water voer hij naar Messina. Hij gaf de inwoners opdracht processies te houden. Op het moment dat de stoet zich in beweging zette, verschenen echter demonen in de vorm van honden. Ze vielen de burgers aan en verwondden hen ernstig. Niemand durfde zijn huis meer uit. Toen men op aandringen van de aartsbisschop opnieuw een processie opstelde, kwamen de gelovigen een zwarte hond tegen met een getrokken zwaard in zijn poten, die huiveringwekkend met zijn tanden knarste. Hij viel de stoet aan en verwoestte al het heilige vaatwerk dat werd meegedragen.

In arren moede besloten de inwoners het beeld van de heilige Moeder Gods dat buiten de muren stond, binnen de stad te halen. Maria keerde zich echter van de mensen af, ze gruwde van de met bloed bevlekte stad. De grond scheurde vlak voor het paard dat het beeld droeg op en het beest weigerde nog een been te verzetten. Toen de burgers van Messina toch het beeld binnen de stadsmuren brachten, strafte God hen met een nog heviger woeden van de pest.'

Wij waren allen diep onder de indruk van het verhaal van onze vriend Stefano. Gods toorn was zo hevig, dat hij zelfs wezens uit de hel gebruikte om de zondaren te treffen. Ons viel op dat een van de vier elementen, het water, de dood bracht en niet ter genezing gebruikt mocht worden. De orde der dingen was zoek, evenals in de tijd dat God de sluizen van de hemel opende en de mensheid met de Zondvloed strafte.

* * *

Na Stefano nam Ugolino di Tranquilo het woord. Hij was eerst naar Genua gereisd. In die stad trof hij een koopman aan, die met de dood brengende schepen van Sicilië naar Genua was gevaren. Deze vertelde het volgende:

'We vertrokken uit Genua met duizend zeelui en kwamen uiteindelijk met tien man terug. Toen we in de haven aanmeerden, werden we begroet door familieleden en bekenden. Als dank voor hun hartelijkheid schonken wij hen echter de pijlen van de dood. Al pratend en omhelzend verbreidden we het gif. Toen zij naar huis terugkeerden, besmetten ze de anderen. Van iedere zeven stedelingen overleefde er nauwelijks één de pestepidemie. Uit angst voor de ziekte vluchtte men alle kanten op. Als door een Godswonder heb ik dit alles overleefd. O Dood, o wrede Dood. Gij zet vader op tegen zoon, man tegen vrouw, broer tegen zuster.'

Er werd zelfs verteld dat vier soldaten die in een uitgestorven dorp in de omgeving van Genua lakens stalen, niet meer wakker werden toen ze onder die lakens in slaap waren gevallen. Ze gingen onverwijld de eeuwige rust binnen. *Radix malorum est cupiditas*: de wortel van alle kwade dingen is de hebzucht. Zo strafte God de Genuezen.

Ugolino trok van Genua naar Venetië. Daar hoorde hij hoe men uit de Heilige Schrift een middel tegen de afgrijselijke ziekte had geput. Veertig dagen zwierf Christus in de wildernis, veertig dagen moesten reizigers uit het oosten in quarantaine in het Nazarethum doorbrengen om verspreiding van het dodelijke gif te voorkomen.

Toch werd Venetië op den duur ook zwaar getroffen. Velen werden op afgelegen eilanden begraven. Met speciale boten bracht men de lijken buiten de stad. Meer dan honderdduizend Venetianen stierven een gruwelijke dood. Een koopman vertelde dat iemand een patiënt een aderlating gaf. Het bloed spatte op zijn gezicht. Dezelfde dag werd hij ziek, twee dagen later stierf hij. Ugolino wachtte even om de betekenis van zijn woorden te laten doordringen en vervolgde:

'Ik ontsnapte door Gods Genade. Ik geef dit bericht door, omdat er uit blijkt, dat alleen al het contact met een zieke de pest kan verspreiden.'

Ugolino zette daarna de reis voort naar Piacenza. In de lente van 1348 besmette een Genuees zijn vriend Fulchino della Croce, afkomstig uit die stad. Een Franciscaan vertelde hem het volgende verhaal over zijn ordebroeders en andere geestelijken in de stad.

'Een zekere Oberto de Sasso die ziek was, liet in de kerk van de minderbroeders zijn testament maken. Alle aanwezigen

stierven binnen enkele dagen. Het klooster van de orde van de Dominicanen werd vrijwel ontvolkt. De Franciscanen verloren 24 ordebroeders, de Karmelieten zeven en de Augustijner Heremieten eveneens zeven. Meer dan zestig kerkelijke hoogwaardigheidsbekleders overleden. Zelfs de dienaren Gods bleven dus niet van de ziekte gevrijwaard.'

In Pistoia vielen merkwaardige dingen voor. De inwoners vertelden Ugolino di Tranquilo, dat de pest als het ware voor de poorten van de stad had stilgehouden, in tegenstelling tot elders waar hij zonder onderscheid van persoon of plaats huishield.

In mei van het jaar Onzes Heren 1348 was de atmosfeer nog niet met pestdampen bezwangerd. Zoals de kinderen van Israël zich onder Jozua verre hielden van contacten met de heidenen, onthielden de inwoners van Pistoia zich van communicatie met de buitenwereld. Toch moeten burgers op een gegeven moment de geboden van het stadsbestuur overtreden hebben, want in juni kwam het Grote Sterven alsnog binnen de muren van de stad.

In de grote stad Florence had de Grauwe Dood eveneens vreselijk huisgehouden. Voor hen die werkelijk wilden zien, waren er overigens aankondigingen te over geweest. In de jaren Onzes Heren 1343 en 1345 had Hij de ondergang bewerkstelligd van enkele zeer rijke burgers. De vooraanstaande banken van de Peruzzi, de Acciaiuoli en van de Bardi waren te gronde gegaan als een teken van de vergankelijkheid van het aardse.

In het fatale jaar 1348 bereikte de Grote Plaag Florence. Onze vriend Ugolino kreeg te horen dat twee van iedere drie Florentijnen door de dood waren weggerukt. Het was gruwelijk geweest. De Dood sprong razendsnel van de een op de ander. Velen trachtten zich te beschermen door uit de buurt van de zieken te blijven en sober te leven. Anderen brachten juist brassend en hoererend de tijd door, zonder zich te beschermen. Er waren burgers die vreemde huizen binnendrongen, stalen, afpersten en verkrachtten. Ook zij kwamen bijna allemaal in de klauwen van de snelle dood. Florence werd dus gelijktijdig getroffen door de Dood en de Wetteloosheid. De wetshandhavers waren machteloos, ook onder hen hield de dood ongenadig huis. Zo bracht de Straf Gods tevens de oorzaak van Zijn Toorn aan het licht. O blinde en verdorven mensheid.

In Siena had Ugolino moeten constateren dat daar de maat der dingen vol was. De Almachtige wenste niet eens dat Zijn Kathedraal werd afgebouwd. De pest trof de stad zo heftig, dat de bouw van de kerk werd stilgelegd. Men kan daaruit afleiden dat Orvieto in mindere mate Zijn Toorn had opgewekt, daar konden de bouwlieden aan de nieuwe kathedraal door blijven werken.

In dezelfde stad Siena hoorde Ugolino overigens nog een wonderbaarlijk verhaal van een zwerver die vlak voor de pest onze stad bezocht. In het verwoeste *palazzo* van Bonconte had hij een stapel lijken en een halfdode man ontdekt. Die laatste vertelde dat hij niets met de slachtpartij te maken had, maar per ongeluk in het paleis, of wat daar van over was, verzeild was geraakt. Hij was buiten de stad op zoek geweest naar zijn vriend, een zekere Piero. Op een plek aan de oever van de rivier de Chiana waar hij een bebloede zakdoek met het monogram van zijn vriend vond, was hij door een rat gebeten. Onverrichter zake keerde hij naar de stad terug. Hij werd vreselijk ziek en zocht beschutting in de ruïne van Bonconte. Daar wachtte hem in meer dan een opzicht de Dood. De zieke had nog tegen de zwerver gezegd:

'Ga, en vertel de ongelovigen dat de pest in de buurt is. Hij beet mij in de gedaante van een rat. Ik herkende de pest, omdat ik de pestlucht op de Krim heb moeten inademen.'

De zwerver maakte dat hij wegkwam. In zijn paniek waarschuwde hij echter niemand, maar vluchtte *linea recta* de stad uit. Ugolino sloot zijn verslag af met de woorden:

'Was dat verhaal van de zwerver niet een merkwaardig Godsteken? De verstoktheid van de mensen verhinderde echter dat dit teken begrepen werd.'

Ik was heel verwonderd dat door Ugolino's verhaal een deel van de raadsels rond de dood van Piero en zijn vriend Cecchino was opgehelderd. Ik herinnerde mij nog haarscherp, dat ik nog geen drie jaar geleden op een donkere decemberavond de stapel lijken in het verlaten *palazzo* ontdekt had.

* * *

Ikzelf, Paolo di Giovanni, ben een geneesheer. Ik meen dat God de hemelen schiep en met sterren versierde. Daarna schiep God de vier elementen: heet en droog vuur, hete en vochtige lucht, koud en vochtig water, droge en koude aarde. De mens is de kroon van Zijn schepping die Hij met behulp van de sterren in orde houdt. Mijn ongelukkig aan de pest overleden vader had me er al in oktober van het jaar Onzes Heren 1345 op gewezen dat Saturnus, Mars en Jupiter in Waterman stonden. Een zeer kwaad voorteken, want de warme planeet Jupiter trok kwade dampen aan. Men kan dit al bij Aristoteles lezen.

Ik studeerde in Bologna en Perugia. In de laatste stad volgde ik het onderwijs van Gentile da Foligno, een eerbiedwaardig en geleerd arts, doctor in de medicijnen. Omdat hij in de zomer van het jaar 1348 aan de pest overleed, moest ik bij een andere arts mijn studie afronden.

Een student uit Parijs gaf me in de winter van het jaar Onzes Heren 1349 een exemplaar van de voorschriften van het College van Geneesheren van de stad Parijs. Daarin leest men dat er in het oosten, in India en bij de Grote Zee, kwade dampen en bedorven water voorkwamen. Van hieruit werden grote delen van de aarde in een kwade damp gezet. Zolang de zon in het teken Leeuw staat, schreef men in de maand juli van het jaar 1348, zullen de zeewinden het bederf uitzaaien. De geleerde heren uit Parijs schreven letterlijk:

'We zijn van mening, dat de standen van de sterren, met behulp van de Natuur, met Goddelijke steun de mensheid kunnen beschermen en helen. Tot de 17de juni zal de zon door de mist proberen heen te breken en als gevolg daarvan zal de mist veranderen in een stinkende, ondergang brengende regen. De lucht zal er echter door gezuiverd worden. Als de regen gaat vallen, moet een ieder zich tegen de buitenlucht beschermen. Zowel voor als na de regenval moeten op de marktplaatsen grote vuren van geurige houtsoorten worden

aangestoken. Niemand mag naar buiten gaan voor de aarde droog is.'

Deze wijze voorschriften worden ondersteund door de oude schrijver Lucretius die meent dat de pestilentie door wolken vanuit de hemel op de mensheid neerdaalt, of uit de door een beving opengesperde aarde op ons afkomt.

Ik sprak met vele burgers over deze wijze voorschriften. De pastoor van mijn parochiekerk van San Angelo wees me op het verhaal van de laatste plaag die de Egyptenaren en hun farao trof toen zij de kinderen van Israël niet wilden laten vertrekken. De Here God doodde na negen plagen iedere eerstgeboren zoon. Er was na die plaag in het land Egypte een groot geweeklaag, want niet één huis was door de Engel des Doods overgeslagen. De kinderen Israëls bleven echter gespaard, omdat ze hun deurposten met het bloed van een lam hadden ingesmeerd. Deze gebeurtenis betekende tegelijk de instelling van het Heilige Paasfeest.

Toen ik op Maria Hemelvaart van het jaar Onzes Heren 1350 het bovenstaande aan mijn vrienden vertelde, waren we het er over eens dat het duidelijkste teken van de dreigende aanwezigheid van de pest een stinkende, walmende mist is. Het lijkt dan alsof Gods Adem omgeslagen is in die van de Duivel. We vroegen ons af of Egyptes tiende plaag soms moest worden uitgelegd als een aansporing tot aderlaten. Wij wisten het echter niet zeker, want in het Boek der Openbaringen stort de derde Engel van de gramschap Gods juist bloed in de rivieren om de zondige mensheid te teisteren. Voor ons stond echter vast dat het verhaal over de plagen der Egyptenaren een voorbeeld was van de lankmoedigheid van God. Hij geeft talloze waarschuwingen aan de zondige mensen. Op dezelfde wijze had hij Orvieto gewaarschuwd door aardbeving, honger en oorlog.

Gods voortekenen waren overal te zien geweest. Dat bleek nog eens zonneklaar toen ik, op zoek naar informatie, het dorp Mealla bezocht. Ik sprak met de dorpspriester en vroeg hem of in de maanden voor het Grote Sterven in zijn dorp opvallende dingen waren voorgevallen. Hij bracht mij naar een jongen van tien jaar. Die vertelde hoe hij kort na het feest van de Geboorte van Onze Heer in het jaar Onzes Heren 1347 bij de plaats speelde waar huiden worden gelooid. Hij trof daar een menigte dode ratten aan. De jongen zag hoe een van de nog levende ratten een soldaat beet, die uitgeput door een lange rit, uit de rivier wilde drinken. De man hoorde bij een troep soldaten die juist op die dag in het dorp was aangekomen. De soldaat die gebeten was, had niet alleen de rat vervloekt

– volgens het kind noemde hij dat beest een pestdragende duivel – maar ook onze Heer en Schepper. De man was daarna gevallen en had daarbij heel wonderlijk zijn been verdraaid. Toen hij probeerde weg te kruipen, was hij in de rivier gevallen en door de stroom meegesleurd. De jongen had aanvankelijk het verhaal aan niemand durven vertellen, omdat hij niet op het terrein van de leerlooierij mocht spelen.

Het lijkt me dat toen al de pest zich als een Goddelijke Straf aankondigde. De woorden en het ongeluk van de soldaat die ongetwijfeld Piero da Orte was, zijn duidelijk genoeg. Menselijke zonde en zwakheid verhinderden het verstaan van de voortekens. De overeenkomsten met het verhaal van Ugolino springen in het oog.

Omdat ik in het jaar van de pest nog geen arts was en Matteo fu Angelo wel, onderzocht hij de gebeurtenissen in Orvieto zelf. Ik gaf mijn vriend Matteo op de dag van Maria Hemelvaart in het jaar Onzes Heren 1349 de geschriften van mijn vader Giovanni die aan het eind van de pestepidemie gestorven was.

* * *

Als laatste van ons vieren begon Matteo fu Angelo met zijn relaas. Hij verwees naar de verhalen in de Heilige Schrift van de torenbouw van Babel en de verwoesting van Sodom en Gomorra. De mensen hadden toen duidelijke waarschuwingen van God in de wind geslagen. Datzelfde deden de magistraten van Orvieto, door bij de nadering van de pest te doen alsof er niets aan de hand was. O Heer! Doof waren uw wederstrevers voor Uw Woord! In niets lieten zij merken, zich iets van de dreigende komst van Uw straf aan te trekken. Zij zwegen. Zij handelden als in de jaren Onzes Heren 1346 en 1347, toen zij geen lering trokken uit oorlog en hongersnood.

De pest kwam in april van het jaar Onzes Heren 1348 vanuit Perugia. Perugia bracht Orvieto zowel het einde van de vrijheid, als het einde van het leven. Matteo verwoordde het als volgt:

'In mei en juni hadden velen het gif ingeademd en stierven een snelle, vreselijke dood. Het hart van de Orvietanen was echter verhard, want ze zetten hun dagelijkse bezigheden gewoon voort. Na verloop van korte tijd was Gods Wraak echter niet meer te ontkennen: de helft van de stadsbevolking was gestorven. In de maand augustus waren de meeste leden van de Raad van Zeven dood; het stadsbestuur functioneerde niet meer. Zelfs ons allerdierbaarste feest van Maria Hemelvaart

werd dat jaar niet met processies gevierd. De hospitalen konden het werk niet meer aan en ook de opofferingen van de broeders in de geestelijke instellingen waren ontoereikend. Als stadsgeneesheer bezocht ik die instellingen. Het viel mij op dat niet allen die stierven overdekt waren met pestbuilen. Ik meende dat op bedrieglijke wijze twee verschillende kwaden naar één doel werkten, elkaar daarbij verhullend.

Toen aan het eind van de maand augustus de Dood minder fel begon toe te slaan, bleek hoe zwaar de tol was, die de burgers van Orvieto hadden moeten betalen. Er waren bijvoorbeeld veel te weinig notarissen om alle erfeniskwesties te regelen. Het bestuur van de stad dat weer orde op zaken trachtte te stellen, bedacht hoe onterecht wij geneesheren in het verleden waren veronachtzaamd. Mijn eigen salaris dat ooit 25 ponden had bedragen, werd verhoogd tot 200 ponden; bovendien werd mij vrijstelling van alle stedelijke belastingen vergund.'

Nadat Matteo fu Angelo zijn relaas had beëindigd, prezen we de Almachtige God. Zijn werken zijn wonderbaar en voor mensen onnavolgbaar. We besloten voor Zijn dienst extra gaven beschikbaar te stellen en trokken ieder een bedrag van 300 goudguldens uit voor de vrome ordes die in onze stad zieken verzorgen.

Moge dit verhaal de lezer leren dat men niet straffeloos Gods wetten overtreedt, zoals Hij die in zijn Natuur heeft neergelegd. De Goddelijke ordening der dingen mag niet door de hoofdzonde van de Hebzucht worden verwoest. Wie zijn lichaam niet als een Tempel gebruikt en met Gods Natuur hoereert, roept de dodelijke straf van de Almachtige over zijn doodzonden over zich af. Moge de dienst aan Hem die ons schiep, aan Christus Onze Heer, de Heilige Geest en ons aller voorspraak Maria deze stad redden en verheffen.

Hier eindigt het relaas over de oorzaken van de plaag van meester Paolo di Giovanni, geneesheer in Orvieto.

Uit de Neurenberger Kroniek.

Verantwoording

Dit verhaal is een fictie. Het is echter meer dan dat. Het is ook de weergave van een stuk historische werkelijkheid. Het is gebaseerd op een van de weinig echt diepgravende studies over de invloed van de pest in de veertiende eeuw op een concrete stad: het Italiaanse Orvieto. Hoewel het verhaal verzonnen is, zijn de omstandigheden in de stad dat niet. Ze zijn ontleend aan: E. Carpentier, *Une ville devant la peste, Orvieto et la peste noire de 1348* (Parijs 1962). In: Publications de la VIIe section de l'Ecole pratique des Hautes-Etudes, 'Demographies et Sociétés', deel VII.

Uiteraard is er veel over de pest geschreven. Men kan er meer over vinden in: *De Pest. De Zwarte Dood in Europa* door William Naphy en Andrew Spicer (Amsterdam 2000). Klassiek is uiteraard de *Decamerone* van de veertiende-eeuwer Giovanni Boccaccio. Dit werk handelt over zeven vrouwen en drie mannen die het Florence van 1348 ontvluchten vanwege de pest en op een landgoed in quarantaine leven. Ze brengen hun tijd door met eten, drinken, dansen en verhalen vertellen.

Afgezien van het werk van Naphy en Spicer kan men goede informatie vinden in: N.F. Cantor, *De zwarte dood;*

hoe de pest de wereld veranderde (Kampen 2003) en Ph. Ziegler, *The Black Death* (Harmondsworth 1970).

Ik verwijs voor Nederland en de pest naar Leo Noordegraaf en Gerrit Valk, *De Gave Gods. De pest in Holland vanaf de late middeleeuwen* (Baarn 1988).

Een goede beschrijving van de pest in Florence vindt men tenslotte in Marchione di Coppo Stefani's verhaal in de *'Cronaca Florentina'* van omstreeks 1380 (te vinden in: *Rerum Italicarum Scriptores,* Vol. 30.*, ed. Niccolo Rodolico.* [Citta di Castello: 1903-13.]*)* Ik geef hierna een deel van de vertaling van de hand van Reinard Maarleveld te vinden op de site van *Historiën*: *www.historien.nl/?p=718*):

"In het jaar des Heren 1348 was er een grote pestepidemie in de stad en in het gebied rondom Florence. De epidemie was zo woest en onstuimig dat in huizen waar de pest had rondgewaard zelfs de bedienden die de zieken hadden verzorgd, binnen de kortste keren zelf stierven. Bijna geen enkele zieke leefde langer dan 4 dagen. Geen arts en geen enkel medicijn werkten. Of dit nu kwam omdat de ziekte tot dan toe onbekend was of omdat artsen het tot die tijd nooit bestudeerd hadden, er leek geen genezing mogelijk. Er was zo'n grote angst, dat niemand wist wat te doen.

Wanneer de ziekte in een huis uitbrak, gebeurde het vaak dat niemand overbleef. En het waren niet alleen mannen en vrouwen die dood gingen, zelfs huisdieren stierven. Honden, katten, kippen, ossen, ezels, schapen hadden allen dezelfde ziekteverschijnselen en stierven aan dezelfde ziekte. Bijna niemand die de symptomen van de ziekte had, genas.

De symptomen waren de volgende: een gezwel in de lies, waar de dij overgaat in de romp; of een kleine zwelling in de oksel; plotselinge koorts; het spugen van bloed (niemand die bloed spuugde overleefde dit).

Het was zo angstaanjagend dat wanneer het in een huis kwam, zoals al eerder gezegd, niemand overbleef. Angstig geworden mensen verlieten hun huis en vluchtten naar een ander huis. Artsen konden niet gevonden worden, omdat deze net als anderen gestorven waren. En degenen die gevonden konden worden wilden een grote som geld voordat ze het huis binnengingen. Wanneer ze binnen kwamen, voelden ze de pols met afgewend gezicht. Ze bekeken de urine van een afstand en met iets welriekends onder de neus. Kinderen lieten hun vader, mannen hun vrouwen, vrouwen hun mannen, broers hun zusters en broers in de steek.

In de steden was niets anders te doen dan de doden naar het graf te dragen. En degenen die gestorven waren, hadden niet kunnen biechten of sacramenten gekregen. En veel stierven zonder dat er iemand naar ze om keek. Velen stierven van de honger, omdat wanneer iemand ziek naar bed ging de ander in het huis angstig riep: 'ik ga een dokter halen'.

Rustig de deur uitlopend, de ander achterlatend om nooit meer terug te keren. In de steek gelaten, zonder eten maar ver-

gezeld door koorts, verzwakten zij. Er waren velen die hun verwanten smeekten om hen niet te verlaten wanneer de avond inviel.

Maar de verwanten zeiden tegen de zieke; 'hier neem wat snoepjes, wijn en water zodat je ons vannacht niet hoeft wakker te maken. Ze staan hier bij je hoofdeinde. Hier zijn ook wat lakens.'

Wanneer de zieke in slaap was gevallen, vertrokken ze en kwamen nooit meer terug. Als het zo was dat de zieke door het voedsel iets aan sterkte, kon hij blijven leven en was zelfs sterk genoeg om bij het raam te komen. Als het geen drukke straat was duurde het soms wel een half uur voordat er iemand langs kwam. En als er iemand langs kwam en als hij sterk genoeg was, kon hij gehoord worden wanneer hij de voorbijganger riep. Soms was er een reactie, soms niet. Maar er was geen hulp. Niemand durfde een huis van een zieke binnen te gaan of met iemand om te gaan die ui het huis van een zieke kwam.

En ze zeiden tegen hem: 'hij is gek, praat niet met hem. Hij heeft het omdat er een gezwel in zijn huis is.' *Velen stierven zonder dat iemand ze zag. Dus bleven ze in hun bedden totdat ze begonnen te stinken. En de buren, als die er al waren, de stank geroken hebbend, wikkelden hem in een kleed en brachten het lijk naar een graf.*

Het huis bleef open en toch was er niemand die iets durfde aan te raken omdat het leek of er dingen vergiftigd bleven en dus iedereen die maar iets aanraakte de ziekte kreeg. Bij elke kerk, of tenminste bij de meeste, groef men diepe kuilen, tot onder de waterlijn, breed en diep, afhankelijk van hoe groot de parochie was.

En degenen die verantwoordelijk waren voor het bergen van de doden, droegen ze 's nachts op hun rug en gooiden ze in de kuil. Of betaalden iemand om dit voor hen te doen. De volgende dag waren er vele lijken in de greppel. Ze bedekten het met modder. Nieuwe lichamen werden er bovenop gegooid met daar weer modder over. Ze legden laag op laag zoals men lagen kaas op lasagne legt. De beccamorti (letterlijk gieren) die hun diensten aanboden, kregen zo goed betaald dat velen rijk werden. Velen stierven ook aan het wegdragen van de doden, sommigen al rijk, anderen pas een klein beetje verdiend maar de hoge prijzen bleven.

Bedienden of degene die voor de zieken zorgde, vroegen 1 tot 3 florijnen per dag en de kosten bleven stijgen. De dingen die de zieken aten, snoepjes en suiker leken onbetaalbaar. Suiker kostte 3 tot 8 florijnen per pond. Hanen en ander gevogelte waren zeer duur en eieren kostten tussen de 12 en 24 pence per stuk. Degene die er drie per dag kon vinden had geluk. Was vinden was een wonder. Een pond was zou met meer dan een florijn gestegen zijn als er geen stop op was gezet. Het was bepaald dat er niet meer dan twee kaarsen per begrafenis mochten zijn. Kerken hadden niet genoeg lijkbaren om toereikend te zijn. Kruideniers en beccamorti verkochten baren en lijkkleden en kussens tegen hoge prijzen. Priesters konden de klokken niet luiden zoals ze wilden. De overheid had verordeningen afgekondigd die het luiden van de klokken moesten tegengaan ze mochten ook niet begrafenissen aankondigen omdat de zieken dit niet wilden horen en het ontmoedigde de gezonde mensen. Geen van de gilden in Florence werkten. Alle winkels waren gesloten, taveernes waren dicht. Alleen apotheken en kerken bleven open. Als je naar buiten ging, was er bijna niemand op straat. De pestepidemie begon in maart en eindigde in september 1348."

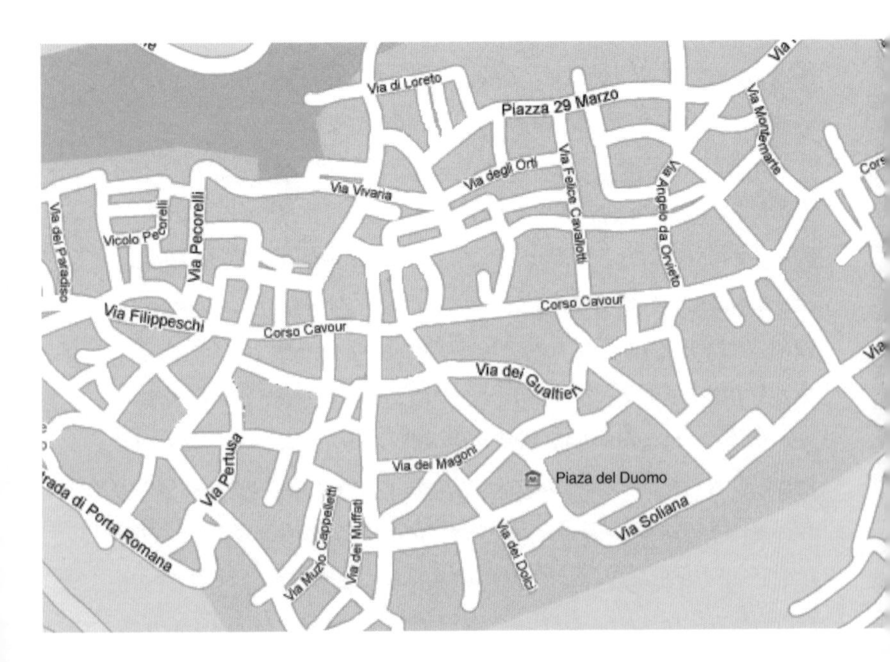